臺中市政府文化局　遠景
VISTA PUBLISHING

追尋時代

領航者林獻堂

追尋時代
領航者林獻堂
CONTENTS

市長序

溫和自信的幸福城市

林佳龍

　　臺中市是一座充滿陽光活力的健康城市，擁有豐富人情味與生活、生態、生產的生命力，是個適合安身立命、成家立業的好地方，有著無限可能的發展性。

　　要在一座城市落地生根，要先宜居，才會有移居，進一步怡居。臺灣雖然面臨少子化，然而近年來臺中市人口每年都增加將近上萬人，表示本地是適合生活的城市，有獨特的吸引力。因此我們所該做的，是規劃以人為本，跨域整合、推動能讓臺中市民擁有和善生活環境的各項政策，而在這樣的政策背後，內蘊著豐厚的城市精神，進而促使我們策劃「臺中學」叢書，將臺中文化城的靈魂具體形塑，讓市民及外地大眾更為認識臺中、親近臺中。

　　地方學能完整描繪地區的獨特歷史發展脈絡，傳承及活化運用在地文化智慧，但往往以研究調查的方式撰述，缺乏地方生活記憶與認同，也讓大眾不易親近。因此，臺中市政府文化局對「臺中學」叢書的策劃，選擇臺中市具代表性的生活面指標為主題，發掘臺中地區最具本土性、獨特性的特色，運用柔性的筆觸與豐富的圖像，期望能讓本地市民更親近、關注自身的生活脈絡，也提供外地大眾了解在地文化的媒介。

首次出版即廣邀長期深耕並關注臺中歷史、文化的工作者主筆撰述，包括林良哲、楊宏祥、吳長錕、賴萱珮、廖振富、陳貴凰、吳政和、張玉欣，鉅細靡遺地梳理臺中市的地貌遷徙與人事流轉，勾勒出臺中人的溫和自信。主題則從最具代表的地景臺中公園、農業發展葫蘆墩圳、薈萃人文清水區、時代文人林獻堂及茶飲代表珍珠奶茶著眼，這些可以被稱為臺中印象的關鍵詞，全都從篇幅裡甦醒，閱讀過程中，可以感受到臺中市百年時空裡的風華面貌。

　　透過閱讀「臺中學」，可以知道不論昔日或今日，臺中人擁有一種溫和的驕傲，還有溫和的自信。我希望臺中「溫和自信」的形象能在全臺灣、全世界成為獨特魅力，更希望讓每位居住在此的市民，感受身為臺中人的榮耀，大聲喊出「我是臺中人」！

臺中形象的關鍵字

王志城

　　一座城市要自成一學，需要的是生活與歲月的積累，除了這些積累仍不足夠，更要活躍出屬於這座城市的獨特性，使人一提及關鍵字，就能與該地的人文、風土、歷史、生態、地景聯結，進而勾勒出這座城市獨一無二的面貌與個性。

　　縣市合併後的大臺中地區，圍抱了山與海，根植了城市與自然，更將歷史與未來聯結在同一條路徑上，讓人們注視臺中的視野更遠、更廣、也更活。這使我們手中擁有能夠形塑臺中印象的關鍵字如同春日的繁花盛開，令人目不暇給。但我們希望人們對臺中的形貌不只是一個單詞的片面形容，而能更加深化、豐厚為一門有血肉與溫度的「學」。

　　因此我們策劃「臺中學」的書系，選擇具代表性的指標為專書主題，發掘臺中地區具有本土性、獨特性的特色，同時更希望書系的開闢能成為引發學者專家對「臺中學」深入調查研究的動力及發表的舞臺。今年首次登場的臺中學共有五大主題，分別是地景類的臺中公園，地域類的葫蘆墩圳、清水區，人物類的林獻堂，飲食文化類的珍珠奶茶。

　　日治時期即在日本人有系統的都市規劃中誕生的臺中公園，每一代臺中人的記憶總有它的身影，見證了臺中市區的地貌遷徙與人事流轉，長期研究臺中地方文史的林良哲將這些見證書寫為動人的《日月湖心：臺中公園的今昔》，生動地

述說了臺中公園的前世今生；引入大甲溪的活水澆沃了大臺中地區的廣大農田，結出美味的稻米養育了一代又一代的臺中人，葫蘆墩圳對臺中的重要性不言可喻，深耕豐原當地文史工作的《葫蘆墩季刊》主編楊宏祥遂寫成《圳水漫漫：葫蘆墩圳探源》一書，鉅細靡遺地歸納葫蘆墩圳開發以來的數百年時空故事；清水坐擁海洋與柔風，不僅吹撫出一片美麗的濕地與小鎮景致，也薈萃出深厚的人文脈絡，以「清水散步」文化推廣基地聞名的吳長錕及賴萱珮深知清水的魅力，以《海線散步：清水人文地誌學》一書帶領眾人前往清水散步、享受小鎮的慢活方式。

　　霧峰林家是臺灣最重要的古蹟建築之一，而其主人林獻堂更在臺灣近代史上占有舉足輕重的地位，他個人的一生幾乎與日治時期的臺灣共同呼息，國立臺灣文學館館長廖振富所著的《追尋時代：領航者林獻堂》不只從日治臺灣的政經環境切入林獻堂的生命，更剖析他與親族、當代重要人物之間相處的點滴，將林獻堂的形象重塑得更為真實活絡；而現在人手一杯、甚至紅到美國前國務卿希拉蕊手上的珍珠奶茶，已經成為臺灣茶飲文化的經典代表，臺灣處處有珍珠奶茶，但臺中是將珍珠奶茶等茶飲文化發展得最徹底的地方，由陳貴凰、吳政和、張玉欣打造《團圓食光：世界珍奶與臺中茶飲》一書，將細數賦予珍珠奶茶生命的種種歷程。

　　建構一座城市的詞彙有很多，但要詮釋一個詞彙背後所代表的一切，一本書的篇幅並不足夠，臺中學的主題還有待開發與擴充，但只要起步了，就會與這座城市的發展一樣，永遠都會是旺盛的。

「行動導讀」提供讀者一份新的閱讀體驗，傳統書籍也可以如此方便的做到：既有深度、兼具廣度。其特色既保持書本平面閱讀時的舒適感與質感，同步又能夠提供多面性的具象影音，使書的內容更充實、更能散播美感與價值。

行動導讀　這樣做──

1. 手機下載「行動導讀」APP（ios、android 適用）或瀏覽網站（http://www.dowdu.tw/）

2. 輸入「書碼」：QR code 或 504408。

3. 查看「易導碼」（例如「(25)」），即可體驗閱讀中所延伸的豐富多媒體與影音內容。

還原生動的林獻堂

林獻堂 (1) 是臺灣史的名人，其生命歷程與臺灣近代史的發展環環相扣。從出生到 15 歲，他在清朝統治時期度過人生的最初階段；接著，從 15 歲到 65 歲，他的大半生都處在日本殖民統治下，這個時期，他以舊學背景的地方士紳出身，長期為政治運動及教育、文化事業奔走，逐漸躍身為具有全島知名度的社會運動領袖，動見觀瞻，毀譽相隨。1945 年 8 月 15 日，二次大戰結束，不料迎接而來的不是「光復」的欣喜，而是一連串的政治風暴，包括 1947 年二二八事件的打擊、1949 年國民政府全面撤退來臺、1950 年韓戰爆發、國共長期對峙，上述種種失望與打擊，導致他在 1949 年 9 月選擇離臺赴日，到 1956 年 9 月病逝於日本為止，都未曾返臺。從 1945 年到 1956 年，林獻堂人生的最後 12 年，彷彿深深烙印著近代臺灣人的宿命，烏雲罩頂，晦暗而悲涼。

　　除了政治領域的參與，他胸襟開闊，具備深厚的人文涵養，對文學與藝術活動的投入與支持，更是值得關注的另一面向。1910 年他加入傳統詩社櫟社，藉詩言志，維繫文化命脈，對傳統漢詩在臺灣的傳承付出極多的心血。另一方面，他長期致力於臺灣青年人才的培育，尤其對文學、美術、音樂、棋藝等特別支持鼓勵。而他曾在 1927 年間，進行為期一年的歐美壯遊，寫成《環球遊記》，不只是當時臺灣人少見的環球之旅，即使在 21 世紀的當今也少有人能具備如此氣魄與宏闊的視野。從現代人的角度來看，作為一位曾經活躍於歷史舞臺的臺灣人，林獻堂的人生旅程究竟可以帶給我們什麼樣的啟發或借鏡？為什麼他的生命故事值得我們去認識？這也是本書嘗試進行了解的問題。

林獻堂（左一）與福州等地士紳合影。（明台高中／提供）

關於林獻堂的研究，臺灣文史學界的研究成果相當豐碩，包括傳記、學術專書、學位論文、紀錄片等。尤其林獻堂的《灌園先生日記》共 27 冊，在中央研究院許雪姬教授主持之下，歷經十多年努力，終於在 2013 年 11 月完整出版，更提供非常豐富的材料，帶動更多研究成果，相關研究涵蓋歷史、文學、藝術、政治、經濟、宗教、社會等各種範疇。本書在這些基礎之上，試圖從生命史的角度，綜合各項史料，選定幾個面向，再現林獻堂的生命故事及其所處的時代氛圍，進而挖掘其內心世界。除了了解他的思想觀念與生命追尋，彰顯其老成持重的個性與人格氣度，也將呈現他的苦悶與壓抑，以及他為什麼選擇背負著如此重擔，踽踽獨行，直到生命盡頭。不過，為了避免讀者陷入過於沉重的歷史氛圍，本書也刻意選擇一些較為輕鬆的角度，諸如他與朋友的互動、休閒娛樂等，試圖呈現林獻堂比較生活化的一面，將林獻堂還原為活生生的人，而不只是一個冷冰冰、被「標本化」的歷史人物。

就具體內容而言，本書除序言、結語之外，正文共分成五章。第一章，鳥瞰林獻堂的一生，使讀者對其生平經歷有一整體性的了解。第二章，從小故事看林獻堂的個性為人，選定以下四則小故事，以期觀微知著：一、1924 年 7 月主持無力者大會，公開批判辜顯榮。二、1930 年，因連橫發表支持總督府鴉片政策的言論，強烈主張將連橫逐出櫟社。三、對文學與藝術的高度重視與支持，如他主導林朝崧（林癡仙）詩集《無悶草堂詩存》的出版；對藝術家顏水龍的照顧，兩人情同父子，使其終生感念。四、從兩封信看林獻堂的胸襟氣度，一封反映他長期

林獻堂與夫人楊水心。（明台高中／提供）

出錢出力、維持櫟社活動與運作，卻毫不居功，語氣溫潤而厚道；另一封是晚年在日本所寫，以自身在戰後的遭遇為例，回信勸晚輩莊垂勝不要太在意現實的得失。

第三章，從詩作看林獻堂的時代感懷。林獻堂學詩起步雖晚，但曾投入大量的心力與熱情，詩歌不但是其生命歷程的重要見證，也最能映現其幽微的心靈之聲。本章先簡介其創作歷程，再分成三大階段介紹其詩作，藉此彰顯其生命歷程與時代的密切關聯，包括早年的弔古傷今情懷與對原住民的關懷；日治末期在戰爭陰影籠罩的黑暗時代，其詩作隱含著深刻的反戰與反殖民意識；而更令人感慨的是，戰後不久，從 1947 年二二八事件、國共鬥爭、兩岸分治，到韓戰爆發，紛亂世局使臺灣被迫捲入更激烈的動亂中，而他個人也因思鄉與對國府疑懼的矛盾衝突、煎熬下，有家歸不得，內心苦悶難以紓解，只能透過詩作一澆塊壘，使其詩作充滿悲涼的時代哀音。

第四章，林獻堂和他的朋友。林獻堂一生經歷豐富，接觸人面極廣，涵蓋不同領域。本文限於篇幅，僅選定梁啟超、林幼春、蔡惠如、蔣渭水、賴和、陳虛谷、葉榮鐘七人，討論他們與林獻堂互動的實際情形。林獻堂與這些人的交情有親疏之別，但彼此都曾有相當程度的交會。透過林獻堂與這些人的互動，既可更細緻生動地呈現出大時代感，這些人的共同理想以及個性差異，進而更清楚折射出林獻堂的人格特質。梁啟超曾啟發林獻堂的政治運動路線走向，林幼春、蔡惠如、蔣渭水都是他從事政治運動的同志，其中林幼春與林獻堂關係最為親近，他

們既是至親，也是詩友，必要時林幼春甚至扮演林獻堂重要的文膽，林獻堂對他倚重甚多。蔡惠如出身臺中清水，也同樣是櫟社詩友，但與林獻堂個性差異較大，兩人情感並不親密。蔣渭水是接受殖民地新式教育養成的新世代知識分子，與傳統漢學背景出身的林獻堂分屬不同世代，但長期與林獻堂並肩奮鬥，最後又分道揚鑣。至於賴和、陳虛谷、葉榮鐘，都是出身彰化地區的新世代，不論是政治運動或漢詩創作，都與林獻堂有很多交集，其中陳虛谷、葉榮鐘與林交情甚深。

第五章，林獻堂的休閒娛樂。前幾章側重政治與文學的林獻堂，本章則呈現林獻堂較為輕鬆的生活面向。限於篇幅，本書僅選定關子嶺泡溫泉、終生熱愛看電影、與李香蘭的特殊交會，以及晚年愛看日本電視的摔角、相撲節目。從中我們可以了解，不論是日本人的「泡湯」文化，或是新興的電影娛樂，在20世紀引進臺灣之後，改變了臺灣人的休閒娛樂方式，而林獻堂社會活動頻繁，也藉由這類休閒活動使身心得以鬆弛調養。其中更有趣的是，他曾是李香蘭的「粉絲」，但從戰前到戰後的兩度接觸，林獻堂心境從絢爛歸於平淡，也呈現置身時代動盪之下，充滿人世滄桑的生命況味。

最後是本書結語，嘗試對林獻堂的事功與人格提出總結性的意見，並從林獻堂日記中記載與呂赫若的交會，觸發對臺灣當代史「觀古思今」的感懷。

年輕的林獻堂與其子合影。（明台高中／提供）

第一章

鳥瞰林獻堂的一生

林獻堂，本名大椿，族名朝琛，字獻堂，號灌園，1881 年 10 月生於臺中霧峰 (2)，1956 年 9 月病逝日本東京，享年 76 歲。他一生經歷清領時期、日治時期，及國民政府統治時期三大階段，由於他豐富的經歷，以及對政治、社會、文化活動的積極介入，其生命歷程與臺灣近代史息息相關。因此，透過他的生命故事，我們更可以一窺臺灣百餘年來的歷史縮影。

　　他的父親林文欽，為人樂善好施，熱心公益，在地方上素孚眾望。林獻堂於 7 歲時在家塾蓉鏡齋受何趨庭啟蒙，奠立舊學基礎。其父的好學與溫和慈善性格，對林獻堂影響甚大，而生母與父親的離異，更造就他早熟的性格。1895 年乙未割臺時，其父旅居香港，林獻堂受祖母羅太夫人之命，率全家四十餘人內渡泉州避難，當時林獻堂年僅 15 歲，身膺此重任，對出身富裕之家的林獻堂而言，可說是一次極重要的歷練。次年，臺灣局勢稍穩之後，他再帶領家人返臺與父親團聚。1897 年，他隨白煥圃學經史，1898 年與彰化楊水心結婚，當時他才 18 歲。1900 年，父親經商而意外病逝香港，林獻堂赴香港迎柩歸葬，從此負責經營事業、掌理家政。環境的歷練與早熟性格，使他趨向老成持重，並逐漸成為霧峰林家 (3) 的中心人物。

初試啼聲──參與社會活動的開始

　　1907 年，他第一次赴日本東京，因偶然機緣結識梁啟超。1910 年，是林獻

年少的林獻堂。（明台高中／提供）

1911 年梁啟超接受林獻堂邀請訪臺，在臺中公園與中部仕紳合
影，前排左五為梁啟超，左二為林獻堂。（明台高中／提供）

堂生平的重要年代，這一年有幾件大事影響林獻堂深遠：一是他攜子赴日本留學時，再晤梁啟超於神戶，促成 1911 年梁氏的臺灣行，影響他日後領導臺灣民族運動的策略與思考。其二則是他正式加盟櫟社，逐漸成為影響櫟社走向的主要領導者，並終生對櫟社付出無比的熱情，極力加以護持。另一方面，他也在這一年起，被日本官方任命為霧峰區長，直到 1912 年為止。以宏觀角度觀察，這幾件事恰也標示著他一生的關懷所在：櫟社 (4) 是代表他對漢族文化的深切堅持與深情，而梁啟超訪臺的鼓勵，則觸發他思考：如何在日本殖民的艱困處境下，積極爭取臺灣人的權益；至於被任命為區長，則顯示他顯赫的出身，與動見觀瞻的社會角色，使他不得不長期與日本統治當局周旋，進而尋求突破殖民者的重重阻礙而有所作為。

梁啟超的訪臺，不但提昇林獻堂的社會聲望，更對林獻堂後半生投入民族運動，起了關鍵性的作用。至於櫟社的性質，原本只是消極吟詠的詩人團體，林獻堂加入後，誠如葉榮鐘所說的：「自此更染上一層濃厚之政治色彩。」櫟社成員在後來的民族運動中多所參與，尤其林幼春、蔡惠如與林獻堂本人都成為民族、文化啟蒙運動的領導者。這雖然不能獨歸功於林獻堂一人，但以其人望、財力及熱心，確實有相當大的影響作用。

1913 年的臺中中學設校運動、1914 年的「同化會」兩大活動，被認為是「臺灣近代民族運動史的濫觴」，而林獻堂對這項活動也都參與頗多，其結果是臺中中學設校成功，而同化會則煙消雲散，兩者雖成敗有別，但對林獻堂個人而言，

其主要意義有二：其一是益加堅定其民族思想，使他更積極展開民族運動；其二，經由上述活動，他陸續結識全島的各階層人士，包括士紳富豪、知識分子等，擴大人際網路，更逐漸將他塑造成本土陣營的領袖。

風起雲湧——民族運動的全盛階段

1918 年 8 月，林獻堂赴日本東京、居於巢鴨，與東京的臺灣留學生接觸漸趨頻繁。1919 年，留學生成立「啟發會」，林獻堂被推為會長，該會設有「六三法撤廢期成同盟會」，爭取廢除臺灣總督府之專制權，但因成員思想背景不一，主張各異而宣告解散。1920 年 1 月，林呈祿為建立組織推展民族運動，結合蔡惠如成立「新民會」，敦請林獻堂擔任會長。11 月，新民會與臺灣青年會經過熱烈討論，由林獻堂折衷各派意見，以「臺灣議會設置為共同目標」，團結致力爭取設立臺灣議會，以改善臺人地位。

1920 年至 1926 年，為林獻堂投入民族運動最意興風發的階段。1921 年 10 月，蔣渭水發起「臺灣文化協會」(5)，林獻堂被推選為總理。該會與臺灣議會請願運動互為奧援，將臺灣民族運動的聲勢推向前所未有的高峰。

請願運動 (6) 方面，1921 年至 1922 年的前兩次請願，都是由林獻堂聯繫臺灣留日學生與本島各階層人士，並在臺灣各地積極宣傳，獲得熱烈回響。1922 年，總督府為壓制請願運動，乃採強硬手段對付林獻堂，並製造所謂的「八駿事件」，

1907年櫟社在萊園五桂樓前
合影。林獻堂尚未入社，但
以主人身分立在正中央。（明
台高中／提供）

分化請願陣營，東京留學生對林獻堂尤其不諒解，甚至有〈犬羊禍〉一文，假小說之體加以譏刺責難，使林獻堂大為窘困，暫時退出請願活動。1923 年 2 月，第三次請願由蔡惠如領銜，由於總督府壓制奏效，簽署人數由第二次的 512 人減少為 278 人。同年年底，爆發著名的「治警事件」，林獻堂雖倖免於難，但他除對在押同志提供衣食用品並撫慰家屬外，同時突破新聞封鎖，使東京《朝日新聞》刊出事件經過。1924 年的第四、五次請願，是請願運動的挫折期。1925 年，林獻堂再度出面領導第六次請願，到 1927 年第八次請願則是最蓬勃的階段。林獻堂請願歸來應邀赴各地演講，所到之處人聲鼎沸，爭睹其風采。

在文化協會方面，他出面領導的文協活動，舉其大端，有：

- 1924 年起連續三年，在霧峰萊園開辦「夏季學校」。

- 1924 年 7 月 3 日發動文協幹部同時於臺北、臺中、臺南舉行「無力者大會」，以對抗辜顯榮等人的媚日組織「公益會」所發起的「全島有力者大會」等。

- 1925 年應二林地區蔗農邀請前往演講，盛況空前。

夏季學校的開辦，不但場地就設在林獻堂所在的萊園，一切相關事宜也都由林獻堂主導。其最大意義不在講習效果，而在於「純粹以臺灣人教臺灣人」的政治意涵，開創講者與受教者自由討論的風氣。總督認為這些活動「常涉及抨擊內臺人的差別待遇、總督政治的言詞甚多，其傾向也旨在提高民族意識」，所以逐年加緊取締。而 1924 年的「無力者大會」，目的在聲討御用紳士之假造民意，

1924 年起連續三年，林獻堂於萊園開辦夏季學校，一切相關事宜都由林獻堂主導，其辦學目的「純粹以臺灣人教臺灣人」，開創講者與受教者自由討論的風氣。（黃鈺菁／攝）

萊園全景，左為五桂樓，右為飛觴醉月亭。（葉子源／攝）

由於辜顯榮等人宣稱臺灣議會請願運動「非議臺灣之制度文物，以惑人心」、「非本島民大多數之意思」，經林獻堂、林幼春等人之痛加駁斥，及各界激烈反擊，公益會乃無疾而終，而民族運動陣營的士氣更加凝聚、提振。至於林獻堂赴二林的演講盛況，是由於蔗農飽受壓榨之後，乃化滿腔憤懣為歡迎林獻堂的熱情，由於林獻堂的激勵，隨後「二林蔗農組合」正式成立，成為農民運動組織的先河。

🔘 運動中挫——抗日陣營分裂之後

1926 年底，臺灣文化協會內部左右兩派，思想的對立、衝突漸趨尖銳，1927 年 1 月 3 日，文協在臺中召開臨時大會，由連溫卿為首的左派全面掌控，文協終告分裂，右派退出。其後，蔣渭水 (7) 另組「臺灣民眾黨」，林獻堂雖任為顧問，但只是掛名而已，由於蔣渭水逐漸走向階級運動，與林獻堂一貫的溫和路線逐漸出現裂痕。左右派分裂之後，林獻堂失望至極，乃於 1927 年 5 月與次子猶龍赴歐美，展開為期一年的環球之旅，並考察西洋政經制度、風土人情，撰成《環球遊記》(8)，在《臺灣民報》上連載近四年之久。

1928 年 5 月，林獻堂結束環球之旅，從舊金山搭船抵日本橫濱。其後在東京停留至當年年底才返臺，除了治病之外，也是為避免回臺後的政治糾葛。返臺後，他支持蔡培火、楊肇嘉等人於 1930 年組織的「臺灣地方自治聯盟」，他則擔任顧問。隨後，與林幼春宣布辭去「臺灣民眾黨」顧問職。

1924 年 7 月 3 日無力者大會宣傳單。

1925 年 10 月林獻堂（前排左八）帶領文化協會成員到新竹演講。（明台高中／提供）

此一階段，他與林幼春實際上都已退出政治活動，但林幼春因體弱多病，只能居家靜養，而林獻堂則仍活躍於其它社會活動。1929 年 1 月，獲選為新創立「臺灣新民報社」首任社長，致力爭取日刊報紙之發行。1930 年 3 月，《臺灣民報》與《臺灣新民報》合併，林獻堂擔任社長，林幼春改任顧問。另外，1932 年，為反對日本限制臺灣米輸往日本，打擊臺灣經濟，率領全島「反對臺灣米移入限制委員」十多人赴日本宣傳。

至於臺灣議會請願運動，林獻堂即使在文協左右分裂後仍持續推行，但已形同強弩之末，因此不得不於 1934 年進行第 15 次請願之後，宣告中止。

🔘 黑暗時局──從「祖國事件」到皇民化時期

1930 年代，日本軍國主義大興，臺灣軍部氣燄甚盛。1936 年 3 月，林獻堂參加由《臺灣新民報》所組之「華南考察團」，遍遊華南各大城市，在上海演講致詞時提及「林某歸還祖國」之語，被日本間諜知悉，轉報臺灣軍部。5 月，《臺灣日日新報》揭發其事，對林獻堂大加撻伐。臺灣軍部參謀長荻洲立兵平素就常干預政治，視總督府如無物，於是唆使日本流氓賣間善兵衛，在 6 月 17 日趁林獻堂赴臺中公園參加活動時加以毆辱，這就是著名的「祖國事件」。次年元月，荻洲繼續壓迫媒體，強制《臺灣新民報》廢除漢文欄。林獻堂族親也因細故被警察拘押，目的顯然是在警告林獻堂。2 月，御用紳士郭廷俊來訪，遊說林獻堂參

加彼等參拜日本神社之舉，為林獻堂所拒。

就在如此惡劣的時局上，林獻堂決定赴日本避難。1937 年 5 月 18 日，林獻堂與家人共七人前往東京。此行在日本一直停留到 1938 年 12 月止，離臺約一年半。這個階段也正是中日戰爭爆發的激烈動盪時期。1938 年 12 月 15 日，林獻堂抵臺北。1939 年 1 月邀櫟社詩友於家中召開總會，出席者含林獻堂、林幼春在內共七人而已，此時櫟社活動已陷入低潮。1939 年 7 月，林獻堂再度赴日本，9月，不慎在東京骨折，養病期間專力作詩。1940 年 10 月，林獻堂由東京歸臺。自 1937 年 5 月，迄 1940 年 10 月，除 1938 年 12 月至 1939 年 6 月短暫留居家中外，他在日本停留長達三年多。

這段時期，中日戰爭日趨激烈，惡劣局勢使他憂心忡忡，面對島內的皇民化運動，他又不得不虛與委蛇。回臺後，他最大的心力則在提倡作詩，積極培養、提攜後進以重振櫟社，目的在透過兩代傳承以保存漢族文化，抵抗日本的皇民化政策。

至於總督府對林獻堂的態度，則為遂行皇民化政策，以期將臺人徹底同化，與日本同心協力投入戰爭，於是對林獻堂百般籠絡。1941 年 11 月，報紙發表他為總督府評議會員，1944 年又被「皇民奉公會」臺中州支部任為大屯郡事務長。林獻堂對這些職位心存抗拒，卻迫於現實之艱困，不得不在表面上應付殖民當局。觀察他這時期的詩作，強烈的漢族意識與對皇民化政策的抗拒，皆在字裡行間隱微表露。

1945 年 8 月 15 日，日本戰敗無條件投降，同時結束對臺灣長達 50 年的殖民統治。林獻堂生命的晚年，原先以為臺灣終於重見光明，不料時局發展卻又步入了一個前所未有的動盪階段。

「光復」的幻滅——戰後的自我放逐生涯

1945 年 8 月，日本戰敗投降後，林獻堂曾為臺灣政治、社會安定多方奔走，包括參加「臺灣光復致敬團」赴中國晉見蔣主席、飛赴西安遙祭黃陵；設法援助滯留日本、廣東、廈門等地的臺灣人等。同時，他也一如全體臺人的期待，對國民政府接收臺灣抱以高度熱望，但由於臺灣省行政長官陳儀的一連串失政，在短短一、兩年間，使臺灣民心墜落到失望的深淵，終於在 1947 年 2 月爆發臺灣近代歷史上最不幸的「二二八事件」。林獻堂本人雖倖免於難，但與他有相當交情的臺灣傑出人才，如陳炘 [9]、

1946 年蔣介石視察中部時，林獻堂前往接機。（明台高中／提供）

右頁圖：由於臺灣省行政長官陳儀的一連串失政，在短短一、兩年間使臺灣民心墜落到失望的深淵，並爆發二二八事件。林獻堂對政治絕望，遂寫信辭退省府顧問。（郭双富／提供）

瘦鶴老弟如晤 自去年十月言在予脫向至今

來曾修函向候殊為歉然今日始報筆勿笑

字畫傾斜為害二週前曾囑女壽君告

君代修復俞主席辭退聘請顧問之信未知

葉君忘之乎抑系君之身上不快以致遷延也請

速下筆寄來由此轉寄是盼特此拜託並候

吟安

　　　五月廿七日

　　　　　　靭　公

林茂生等人，都在事件中死於非命，據葉榮鐘的形容，林獻堂的心情「無異冷不提防吃了一記悶棍，精神上受了極大的打擊」。

自 1947 年至 1948 年，他雖先後被任為省府委員及新成立的臺灣省通誌館館長，但對現實政治逐漸灰心，失望和不滿日益加深。1949 年 9 月，林獻堂以治療頭眩之疾為由搭機赴日，開始晚年自我放逐的生涯。

關於林獻堂晚年赴日的深層原因，與林獻堂一生關係密切的蔡培火、葉榮鐘二人，曾有截然不同的說法。蔡培火認為林獻堂在日治時期為臺灣社會之中心人物，而「光復後政治社會之形勢驟變，先生因之不無寂寞之感」，將林獻堂赴日的主因歸諸個人現實政途之失意。長期擔任林獻堂秘書的葉榮鐘，則特別能體會因難言的苦衷而遠走日本的複雜心境。無怪乎在某一座談會，林快青特別強調他不能同意蔡培火的上述看法，葉榮鐘立即表示：「我完全同意林先生的說法，林獻堂先生地下有知，當引以為知音而安慰於九泉。」

林獻堂晚年留日時期的心境是極為淒苦寂寥的，這種心境在他的《東遊吟草》詩集中留下清晰的記錄。1950 年 1 月，新任省府主席吳國楨來函擬聘為省府委員，林獻堂作詩以年老為由辭謝。同年 5 月，移居神奈川縣逗子市，自署所居為「遁樓」，「遁」字大有言外之意，乃暗示他遠走日本的無奈。

林獻堂留日之初，正是中國大陸易幟、臺灣情勢緊張、韓戰爆發的動盪時期。

右、後頁圖：戰後林獻堂對政治絕望，遂請其倚重的文書幕僚王達德，向葉公超說明其無法返台的原因。（郭双富／提供）

煥鶴老弟如晤 來書備悉 東遊吟草已接 恐誤甚
其中錯字之多 是恩親自校正 也因身上不佳時常疲倦
故有此失誠為遺憾焉 恩自去月十二日移居於此 賣有
暖房設備頗適 辭却就京醫於順天堂 痛苦漸減 然於此
年末恐未能歸去 護照蒲限 欲請延長 煩代修致葉外交
部長馮總務司長之信 寄來此轉送 希祕之為盼 信中之
意如下 一歲暮政務紛勞之寒暄 二本預定年末歸去
因換護腺肥大之病復發 痛苦異常 故居稽於東京神田
YMCA是賣有暖房設備頗適 賤体現就醫於順天堂每

日注射並用又光線治療痛苦亦漸減但於年内未能全
癒歸去護照滿限欲請延期村蒙許幸何如之
一年間若得全癒富即又卓歸特
三、國家多事之秋尚望体請加珍衛　以上大意請加敷衍
為盼請於二十日以前寄来是幸专此費
神道候
吟写
十二月十日
薩園

林獻堂留日期間，其夫人、女兒、親友至日本探望。（明台高中／提供）

他既為病痛所苦，又關心故鄉安危，然而諸多流言又使他望鄉浩嘆，裹足卻步。雖然國民政府屢次派人遊說返臺，終未能解除其疑慮。1955年次子猶龍在臺遽逝，對他打擊尤大，所作〈囑猶兒〉一詩竟有：「九原相待無多日，先為雙親覓一椽」之語，不料一語成讖，1956年9月8日，他終因「老衰症併發肺炎」病逝東京，結束他76年波瀾壯闊的人生旅程。

晚年在日本獨居的林獻堂。（明台高中／提供）

第二章

從小故事看林獻堂的個性為人

老成持重是林獻堂給人的鮮明印象，他待人寬厚，謙沖為懷，極少疾言厲色，但在他沉穩的外表底層，其實有其原則與堅持，尤其是他對理想的追求與終極關懷，有異乎尋常的堅定意志。當他面對挫折與打擊，並不是沒有軟弱與遲疑的時候，他多次遭受敵對者的打擊，甚至是同志的誤會，然而痛定思痛，他仍然選擇勇敢承擔。

本章將透過幾則小故事，試圖生動呈現林獻堂個性為人的特質。其一，1924 年 7 月主持「無力者大會」，強力批判辜顯榮等人打壓民族運動、取悅日本官方的行徑。其二，1930 年 3 月因連橫附和總督當局的鴉片政策，而堅持將連橫 (10) 開除櫟社社員資格。其三，對文學與藝術的高度重視，包括 1928 年環球旅遊歸臺之後，在櫟社洗塵宴上慷慨陳詞，促成 1933 年林朝崧詩集的出版；以及 1920 年代以來，長期支持鼓勵臺灣美術家，尤其對顏水龍 (11) 的照顧更令顏氏終生感念。其四，透過兩封不同時期分別寫給傅錫祺與莊垂勝的信，可以了解林獻堂慷慨坦蕩的個性與胸襟。

領導無力者大會，公開批判辜顯榮

林獻堂領導 1920 年代的民族運動，始於 1920 年在東京被留日學生推舉為新民會會長，隨後展開以「設置臺灣人議會」為訴求的政治請願運動。面對這波爭取臺灣人自覺的民族運動，臺灣總督府慌了手腳，先是以殖民者片面制定的法律出言恫嚇，並一再加以打壓，最後甚至使出殺手鐧，選定 1923 年 12 月 16 日深夜，

在全臺各地同步發動大搜捕，共傳喚 99 人，其中有 41 人被扣押，29 人被移送臺北古村監獄，1924 年 1 月 7 日，日本官方將蔣渭水等 18 人起訴。事件發生當時，林獻堂人正在關子嶺，接獲消息立即積極對外發布消息，設法營救同志。後來經過 1924 年至 1925 年的三次開庭以及數度激烈的交鋒辯論，《臺灣民報》以大篇幅報導開庭經過及被起訴者的答辯，堪稱啟迪民智的壯舉，發揮極大的宣傳效果。最後共蔣渭水、蔡培火、林幼春、蔡惠如、林呈祿、陳逢源、石煥長等七人，分別被判刑三至四個月，實際服刑到 5 月 10 日，日本當局史稱「治警事件」。

正當治警事件審判期間，辜顯榮 (12) 等人於 1924 年 6 月 27 日在臺北發起「有力者大會」，以對抗臺灣文化協會所領導的臺灣議會設置請願運動。臺灣文化協會無法忍受這批御用紳士自稱代表多數民意的荒謬言論，決定發起「無力者大會」加以抵制。1924 年 7 月 3 日下午，在臺中、臺北、臺南三地同步召開，張麗俊的《水竹居主人日記》曾詳細記錄當天他參加臺中場大會所親眼目睹的盛況。

根據張麗俊的描述，當天「參會者約千餘人，座為之滿」，林獻堂的秘書葉榮鐘首先上場說：今天北、中、南三地同時發起「無力者大會」，是為了反制「有力者大會」而發，前幾天「有力者大會」在臺北的東薈芳酒樓舉行，連同陪酒的侍女在內，才二十多人出席，比起今天「無力者大會」參加人數之多，氣勢差距何止雲泥之別，因此誰才是代表多數民意，不問可知。在場民眾聽了，紛紛拍手叫好。接著，林獻堂在眾人熱烈掌聲中被推舉為座長（主席），並登堂演說，張麗俊詳細記錄了林獻堂的演說內容：

獻堂君出首演說，……侃侃而言，到隱微要點處，會員擊掌之聲如放連炮一般，後言作事須要仔細，如前夜蔡惠如君為此事在大正館坐人力車，到電光微暗處，不防被一犬沖（衝）撞，致車覆人傷，現尚入院治療。（蓋犬者即暗指辜氏也，隱他請議會被辜氏阻礙故也。）終言無力者之大多數如春筍，經雨輩出，叢生不窮云云。獻堂君可謂善於說辭者。

這段話最有有趣的「笑點」，在於巧妙引述蔡惠如晚上坐人力拉車，被黑暗中衝出的狗驚嚇而跌落摔傷，透過這個不幸的意外來指桑罵槐，林獻堂以暗夜中突然衝出的狗，諷刺辜顯榮出面阻撓請願運動，且大家都聽得懂弦外之音，因而帶動現場的高潮。此一事例，充分顯示林獻堂演說能力高妙，而他對刻意巴結日本殖民統治者的批判，炮火猛烈，絕不留情面。

辜顯榮在 1913 年至 1915 年間，曾與霧峰林家共同為創設臺中中學（今臺中一中）而合作奔走，但這次他出面發起「有力者大會」刻意表態，則是牽涉到臺灣人共同權益的大是大非。在這個關鍵時刻，林獻堂堅定的選擇與辜顯榮走向相反的道路，彼此劃清界線。這番激昂慷慨的演說，也是林獻堂在 1922 年「八駿事件」遭同志誤會之後，重新站回抗日民族運動陣營領導者位置的清楚表態，而繼治警事件之後，臺灣文化協會也再度贏回了民心的普遍支持。

辜顯榮在 1913 年至 1915 年間，曾為創設臺中中學（今臺中一中），與林獻堂合作奔走。

🏵 因鴉片特許事件，堅持將連橫逐出櫟社

出身臺南的著名文人連橫，活躍於日治時期臺灣文化圈，著有《臺灣通史》、《臺灣語典》、《臺灣詩乘》等著作，對保存臺灣文獻與歷史文化貢獻良多，不過他的事蹟與政治立場卻是充滿爭議的。他一方面參加臺灣文化協會，並多次擔任主講，一方面也曾為總督田健治郎草擬文稿，並請日本官員為《臺灣通史》寫序，而他曾多次赴中國旅遊、考察、任職，1914 年甚至取得中華民國國籍，後來又將獨子連震東託付給中國國民黨要員張繼，根據上述得知，連橫的身分認同與

政治立場是相當複雜的。

1908 年至 1902 年，連橫曾在臺中旅居約四年，先是受雇於霧峰林家，擔任文書幕僚，後來由櫟社社長傅錫祺牽線，曾擔任「臺灣新聞社」漢文記者約半年。1909 年，連橫因詩學才華突出，受櫟社創辦人林朝崧邀請加入櫟社。而旅居臺中的這四年，也是他與櫟社社員互動最頻繁的階段。後來他遠赴中國，回臺後長期定居臺北，極少出席櫟社活動。但他為蒐集、保存櫟社早逝的社員詩作，如賴紹堯、莊雲從、陳瑚等人，付出極大心力，而《櫟社第一集》收入他的詩作數量極多，可見他對櫟社的深情，且文學成就深受肯定。不料最後他卻落得被開除的下場，留下一生中難以磨滅的人格汙點。而當時堅持將他開除櫟社社籍的人，就是林獻堂。

連橫被櫟社除籍，導因是《臺灣日日新報》在 1930 年 3 月 2 日刊出的一篇文章〈臺灣通史著者連雅堂氏對此回問題致本社意見書〉，所謂「此回問題」是指當時臺灣總督府鴉片特許政策 (13) 引起臺灣輿論界撻伐的爭議，該文主旨在為臺灣總督府之鴉片政策開脫。文章見報後，引起全臺知識菁英的強烈憤慨，批判之聲四起。

根據林獻堂《灌園先生日記（三）1930 年》可知，林獻堂與蔣渭水等人在 1930 年 2 月至 3 月間，曾為反對總督府之鴉片政策而積極奔走。1930 年 2 月 7 日林獻堂應邀面見總督府警務局長石井保，反對再發給吸食鴉片者新的許可牌。2 月 21 日林獻堂收到蔣渭水來函，要求他 3 月 1 日前往臺北會見國際聯盟委員。

瞻廬放大字想已塑入扁顙多日矣承
示落成在花朝前後沁甚欲一往祝賀大概以
望日後為合有到怡園祈達小魯天孤以便作
伴也閱今日比報載意見書與報社論阿片問題
狂妄至極我社唱此冷血動物有何益處照社則
三次不出席必除名況史有甚焉者請　社長通達
友發表罪狀逐其出社勿唱污點沁無往要水乞
俯如所請幸甚
　　　三月三日　　　　沁拜啟

豐原郡潭子庄
傅錫祺先生
鹿港陳懷澄

1930 年 3 月 2 日，陳懷澄致函傅錫祺，痛斥連橫作為，指責連橫為冷血動物，強烈要求將他逐出櫟社。（傅錫祺家屬／提供）

2月23日警務部長約見，勸阻勿會見國際聯盟委員時，他明白表示將親自會見國際聯盟委員，投訴臺灣總督府的鴉片政策。2月25日為杜絕《臺灣日日新報》攻擊之口實，納還煙牌。2月26日蔣渭水來電報，催促往臺北會見國際聯盟委員。2月27日到臺北與蔣渭水討論此事，2月28日再度面見總督府警務局長石井保，保證會見國際聯盟委員時，只針對鴉片問題發言，不批評內政，並說服警務局長同意蔣渭水會見國際聯盟委員。3月1日正式會見國際聯盟委員。

　　觀察林獻堂為這件事堅持立場並努力奔走的過程，就可以了解為什麼他對連橫附和總督府的言論如此憤怒。《灌園先生日記（三）1930年》3月6日記載：

　　三日（按：應是二日）連雅堂曾在《臺日》報上發表一篇，說荷蘭時代阿片則入臺灣，當時我先民移殖於臺灣也，臺灣有一種瘴癘之氣，觸者輒死，若吸阿片者則不死，臺灣得以開闢至於今日之盛，皆阿片之力也。故吸阿片者為勤勞也，非懶惰也；為進取也，非退步也。末云僅發給新特許二萬五千人，又何議論沸騰若是？昨日槐庭來書，痛罵其無恥、無氣節，一味巴結趨媚，請余與幼春、錫祺商量，將他除櫟社社員之名義。余四時餘往商之幼春，他亦表贊成。

　　根據這段文字可知，首先要求開除連橫社員資格的是陳懷澄（1877年～1940年，字槐庭，號沁園、心水），此人是櫟社所謂「創社九老」之一，向來是該社十分活躍的核心成員。他在現實政治活動上，長期擔任鹿港區長（任期：

1919 年～ 1920 年）、街長（任期：1920 年～ 1932 年），並不排斥與日本當局適度合作，但從他對此事的激烈反應看來，面臨攸關臺灣社會的重大事件時，他仍不失臺灣人的立場。林獻堂收到他的來信後，立刻詢問林幼春的意見，林幼春也贊成開除。其後兩天，林獻堂邀集鄭汝南、莊太岳、林幼春等人商議，並寫信給社長傅錫祺要求召開櫟社理事會，專門討論此事。

櫟社理事會於 3 月 13 日在霧峰林幼春家中舉行，出席成員包括社長傅錫祺、林獻堂、林幼春、陳懷澄、莊太岳、鄭汝南、吳子瑜、王石鵬、蔡子昭、張棟梁等十人。會中討論過程充滿爭議，可說風波迭起，會後甚至出現匿名信攻擊社員，試看《灌園先生日記（三）1930 年》當天所述：

槐庭再提議雅堂於三月二日在《臺日》紙發表阿片意見書云云（參照六日記事），非將他除名不可。余問社則除名之條，錫祺謂有違背本社規則及汙損本社名譽者除名。子瑜謂如其意見書，未必有汙損本社名譽，萬一因此以致訴訟亦未知，須要慎重，幼春、錫祺、了庵、子昭皆贊成其說。余謂誣衊我先民，以作趨媚巴結，而又獎勵人人須吸阿片，似此寡廉喪恥之輩，何云不汙損本社名譽？伊若、汝南贊成余說。棟梁謂此係政見不合，若欲除名，請待他日。議論結果，決定認他不熱心於本社，作為退社決議錄，棟梁不蓋印。

三時餘接一匿名信，言理事中吸阿片煙者過半數、有非孝論者、有公益會主腦者、有同姓結婚者，此不革除，此獨對於連某不留餘地，竊為諸公不取。幼春

特別憤慨社員中有受人唆使之鷹犬。

　　向來溫和的林獻堂，在會中以少見的嚴厲語氣斥責連橫，其氣憤之深不難想見。歸納會中出席者的態度，首先贊成開除連橫社員資格的有林獻堂、陳懷澄、莊太岳（莊嵩，字伊若）、鄭汝南。檯面上明顯持保留態度的代表人物是吳子瑜、張棟梁。至於林幼春、傅錫祺、王石鵬（了庵）、蔡子昭四人，雖然都附和吳子瑜「須要慎重」之說，其實這四位的基本態度恐怕又大有差別。其中林幼春民族意識特別強烈，又與林獻堂長期並肩協力從事民族運動，會前便已贊成除名，只是考慮處理的技術問題，必須避免糾紛。而社長傅錫祺個性圓融，政治立場保守，但鑒於與林獻堂、林幼春的多年情誼，與霧峰林家對該社的實質影響力，應該是傾向贊成林獻堂的意見。

　　此一重大事件的結果，櫟社最終在總會中通過將連橫、林子瑾同時除籍。雖早在 3 月 13 日的理事會中，櫟社便決議將連橫開除社員資格，但由於衍生一連串風波，正式確認此案則是 4 月 2 日所舉行的櫟社總會。當天恰好是林幼春為長子林培英舉行結婚典禮的日子，社員在參加婚禮之後繼續召開總會。林獻堂《灌園先生日記》的相關記載如下：

　　（婚禮）閉式後余同錫祺等歸宅，照壽椿會之紀念寫真，繼開櫟社總會。先議收支決算；次議雅堂，不將其三月二日之阿片論文為之除名，而用十六回不出

席，認其退社；余提議子瑾拐誘同姓女子，亦當除名，討論後投票，決定認作退社。

由於 3 月 13 日理事會中吳子瑜擔心此事引發訴訟，意見分歧，櫟社總會於是決定改用「十六回不出席」的名義，至此將連橫除籍一事拍板定案。

觀察林獻堂在此一事件中扮演的角色，顯然是極有主導作用的強硬派，他在櫟社理事會中強力駁斥吳子瑜「未必有汙損本社名譽，萬一因此以致訴訟亦未知」反對將連橫開除的意見，認為連橫「誣衊我先民，以作趨媚巴結，而又獎勵人人須吸阿片，似此寡廉喪恥之輩，何云不汙損本社名譽」，對張棟梁拒絕蓋印顯然並不認同，甚至有人以匿名信攻擊其他社員，他也不為所動。

這件事並非個人恩怨，而是屬於民族立場「大是大非」的堅持。換句話說，林獻堂認為：我們是臺灣人，如果為了巴結日本人而汙衊祖先，甚至變相鼓勵大家繼續吸鴉片，這是絕對無法容忍的。此一事件充分顯示林獻堂的氣節與堅定的民族意識，也可以說正因為他的堅持，更強化了櫟社在民族立場上的鮮明形象。

對文學、藝術的高度重視與具體支持

林獻堂雖然出身豪門世家，卻無紈褲子弟揮霍無度、縱情聲色的負面形象，他求知慾強，不斷吸收新知，對文學、藝術、歷史、宗教、體育都充滿探索的興趣，並大力提倡棋藝。在當時的士紳階層中，他對文學藝術的重視是特別值得稱道的。

基本金受入貸出抄簿

明治四十五年一月置

櫟社

在文學方面，他終生對傳統詩社櫟社付出無數心血，投入深厚感情，可謂念茲在茲，無時或忘。例如 1927 年在英國旅遊，當他流連陶醉在公園美景時，忍不住感嘆說：「遙想櫟社諸子，俱遠隔萬里之外，設使能在此園中開一詩會，豈不人生一大快事哉！」可見櫟社在他心目中的重要性。

櫟社是在 1901 年由霧峰林家的林朝崧、林幼春叔侄，與彰化賴紹堯共同發起。1906 年逐漸擴大規模而組織化。林獻堂從 1910 年加入櫟社，到 1949 年 9 月遠走日本之前，近 40 年間，他為櫟社出錢出力，舉凡 1922 年「櫟社二十年題名碑」的設置，櫟社兩本集體創作詩集《櫟社第一集》、《櫟社第二集》的編輯、印刷，他都是主要的出資者。即使林朝崧於 1915 年以 40 歲英年早逝，林幼春也在 1939 年因長期肺病而告別人間，林獻堂與櫟社社長傅錫祺（1872 年～ 1946 年）仍在數十年間合力支撐櫟社的運作，即便在戰爭的艱困時局中依舊不放棄，力邀新血加入，堪稱是維持櫟社命脈的最佳搭檔，其苦心孤詣，令人動容。

尤其值得一提的是，他大力促成櫟社創始人林朝崧詩集《無悶草堂詩存》的出版，林朝崧堪稱日治時期臺灣古典詩壇的佼佼者，這本詩集完全由櫟社主導出版，意義格外重大。當林朝崧在 1915 年去世後，櫟社曾決議編輯其詩作並出版，不過負責此事的林幼春在 1920 年代為政治運動奔走，加上向來體弱多病，以致延宕多年。直到林獻堂 1928 年結束環球旅遊回臺之後，由於他的一番慷慨陳詞，

左頁圖：櫟社基本金的受入、貸出抄簿。（傅錫祺家屬／提供）

林獻堂於 1927 年至 1928 年間帶著兩個兒子進行為期一年的歐美深度之旅。《環球遊記》不僅是臺灣第一部公開發行的歐美遊記，也是最早一份臺灣人看世界的詳實紀錄。（明台高中／提供）

此事終於有了決定性的轉機。

傅錫祺編寫的《櫟社沿革志略》，1928 年的記載提到：林獻堂環球旅遊一年多之後，在 1928 年 10 月返臺，櫟社社員特別在臺中林耀亭的家中舉行洗塵宴，共計 14 名社員出席，最值得注意的是林獻堂以下這番發言：

開宴酒數巡，鶴亭（社長傅錫祺）起立敘禮。灌園（林獻堂）起謝，並述遊歷中見英吉利人崇拜詩人之足以令人感嘆，略謂：「該國詩人某氏死已多年，而

明治 45 年（1912 年），櫟社社友題名錄，林獻堂在倒數第 2 位。（傅錫祺家屬／提供）

其居屋勿論，即其生前所用一器之微，亦為鄭重保存。因此，聯想及於我故社友林癡仙君。君為我社創立者，有功我社固不待言，因我社之首創而影響及於全臺，今日詩社林立，未始非受其賜。乃全臺詩界忘之，幾乎未嘗念及。就我社而言，君死已十餘年，而其遺詩我等後死者尚未能為之梓行；比之英人之崇拜詩人，實大抱愧」云云。社友肅聽，皆為動容。此事雖因南強體弱且素執慎重態度，未敢輕易付梓，然我等後死者之怠慢，亦難辭其咎也。

1922 年設立的櫟社二十年題名碑，至今仍矗立在明台高中校園內，正面刻有當時在世的 23 名社員姓名。

林獻堂的環球之旅，在 1927 年 6 月 27 日抵達倫敦，在英國停留到 10 月 3 日。讓他印象非常深刻的是英國人對詩人、文學家的重視，不僅保留其故居，連生前用過的器物也都妥善保存。他因而聯想到櫟社創始人林朝崧去世十幾年，卻仍未見詩集出版，比起英國人對詩人的重視，實在令人慚愧。這番感慨，引發共鳴，連記錄此事的傅錫祺，也忍不住加上「我等後死者之怠慢，亦難辭其咎也」的案語。後來的數年間，櫟社社員展開密切分工，各司其職，包括選詩、寫序文及序詩、排版印刷等，排版完成之後，林獻堂更提供不少經費請專人協助校對，堪稱盡心盡力，務必求其完善。《無悶草堂詩存》最後在 1933 年正式印刷出版，4 月 30

日櫟社社友與林朝崧家屬，並到其墳前鄭重舉行「詩集梓成（出版）奉告禮」。

　　日治時期要出版一本個人詩集非常不容易，但對一位具有高度文學成就的詩人而言，詩集的出版有助於流傳後世，被閱讀、被研究，林獻堂對這件事的貢獻值得大書特書。而其實踐的強烈動力，正是源自重視、保存臺灣在地文學的文化意識。本書出版後，任教於臺北帝國大學的日籍文學評論家島田謹二，也稱讚本書是日本領臺初期第一流的作品。

　　林獻堂對各領域臺灣青年之培養，向來不遺餘力。如出身鹿港的文學家莊垂勝、葉榮鐘，青年時期都曾受到他的支持，始能赴日本留學，完成大學學業。他們不但在文化啟蒙、政治運動方面頗有貢獻，日後更成為櫟社的第二代社員。葉榮鐘後來更長期擔任林獻堂的秘書兼通譯，1956 年林獻堂病逝日本，葉榮鐘負責編輯《林獻堂先生紀念集》包括「年譜」、「遺著」、「追思錄」共三冊，於1960 年 12 月出版。此一契機使他深刻意識到記錄保存臺灣歷史與文化的重要性，促成他後來撰寫《日據下臺灣政治社會運動史》、《臺灣人物群像》等重要著作，可見林獻堂對葉榮鐘的深遠影響。

　　在藝術家方面，林獻堂對畫家的支持向來不遺餘力，包括傳統書畫家如蔡旨禪、楊草仙、曹秋圃 (14)，東洋畫家如呂鐵州、郭雪湖 (15)，西洋畫家如陳澄波 (16)、

下頁圖：1933 年 5 月 13 日，林獻堂帶領妻子楊水心、長子攀龍、次子猶龍、次媳愛子，到臺中圖書館參觀顏水龍「留歐作品展覽會」，並購買兩幅畫。前排右三為林獻堂，後排左二為顏水龍。（林莊生／提供）

顏水龍、陳夏雨等人，與林獻堂都有往來。他常以購買畫作、請畫家畫肖像畫、參觀畫展或直接資助金錢等方式，對臺灣畫家予以實際支持，可說是臺灣美術發展史上重要的贊助者。以下以顏水龍為例，說明林獻堂對臺灣畫家的鼓勵與支持。

顏水龍（1903年～1997年），臺南下營人，不但是臺灣美術史上重要的前輩畫家，由於對臺灣工藝發展貢獻極大，更被美稱為「臺灣工藝之父」。藝術史學者顏娟英的研究指出：顏水龍在1922年到日本留學，與林獻堂、林攀龍父子結識，後來林攀龍與顏水龍又同時在法國求學。1931年10月，顏水龍的兩幅畫入選秋季沙龍，林攀龍特別撰寫報導文章〈顏水龍畫作入選秋季沙龍——我同胞逐漸登上世界畫壇〉，刊登在1931年11月21日的《臺灣新民報》。

在林獻堂的《灌園先生日記》中，可發現林獻堂與顏水龍頻繁的互動，如1932年12月24日，顏水龍到霧峰為林獻堂畫肖像，住在林獻堂家中，並參與不少林家的活動，直到29日才離開。1933年2月18日，顏水龍受林獻堂邀請，在一新會「土曜講座」演講「藝術與人生」。同年5月13日，林獻堂帶領妻子楊水心、長子攀龍、次子猶龍、次媳愛子，到臺中圖書館參觀顏水龍「留歐作品展覽會」，並購買兩幅畫。1934年2月，顏水龍再度來林獻堂家中為林獻堂畫肖像。1937年5月，林獻堂赴日本東京，當時顏水龍在日本工作，這一兩年間，兩人有更密集的往來，如林獻堂預備在東京購屋，顏水龍多次陪同看屋、張羅家具、編製窗簾椅套，還會帶藥給林獻堂服用、一起外出旅遊。同樣的，林獻堂也常到顏水龍住處找他聊天，請他共進晚餐，而他看到顏水龍感冒嚴重，便拿阿斯匹靈給他服用，

兩人情同父子，可見一斑。

　　顏水龍晚年選擇定居霧峰。關於林獻堂對他的照顧，他曾有一段動人的回憶：

　　我年輕的時候孤苦無依，最困難的時候，林獻堂先生總是幫助我，……我結
　　婚時，獻堂仙還收我為乾兒子，……我就是感念故人恩情，所以選擇獻堂先生故
　　居所在地──霧峰當作為我的故鄉，住在這裡可以常想起恩人。

　　顏水龍這番真摯的告白，可說是林獻堂對栽培臺灣藝術人才長期付出、真誠
關懷的最佳見證。

從兩封信看林獻堂的胸襟氣度

　　筆者由於長期研究櫟社與臺灣中部文人社群，因而陸續蒐集不少第一手史
料，以下將以林獻堂分別寫給傅錫祺與莊垂勝的兩封信，進一步觀察林獻堂的個
性為人及其胸襟氣度。

　　第一封信是 1931 年 12 月 15 日林獻堂寫給傅錫祺，附在一批單據資料之內，
說明櫟社 30 週年紀念大會的開銷情形：

　　鶴亭老兄雅鑒：紀念大會設備多不周到，反蒙道謝，實不敢當。費用收支本

鶴亭吾兄　雅鑒　紀念大會設備多不周

到反蒙道誨實不敢當費用收支布告

及早報祇因司帳者不在以致遷延多日

茲將收支之數列於一單及請領收證並為

奉上希為一覽　伊若事財政困之僅為詢

問一次不敢復再催逼然此數點可以相償矣

會前後諸食費所費无幾請勿介意謹此奉

復並候

吟安

十二月十五日

應及早報告，只因司帳者不在，以致遷延多日。茲將收支之數列明一單，及諸領收證並為奉上，希為一覽。伊若哥財政困乏，僅為詢問一次，不敢再催逼。然收支之數，亦可以相償矣。會前後諸食費所費無幾，請勿介意。謹此奉復。並候

吟安

十二月十五日　獻堂頓

　　櫟社創立以來，每逢十年必擴大舉行紀念大會，廣邀全臺各地詩友參加。根據傅錫祺《增補櫟社沿革志略》以及林獻堂《灌園先生日記》的記載，1931 年 11 月 22 日，櫟社 30 週年大會在霧峰林家舉行，共計社員 16 人、來賓 26 人出席。當天上午 10 點，社員先在林獻堂家中召開總會。下午 2 點，社員與來賓在林家大花廳參加盛大的紀念會。包括林幼春演說、林獻堂致閉會辭。隨後推選來賓四人擔任詞宗，並以「秋穫」為律詩題、以「餐菊」為絕句題作詩。隨後攝影留念，7 點舉行晚宴。一直到午夜，入選者的詩榜才揭曉，等受賞完畢，已經是深夜 2 點，當時詩會活動的盛況，竟然可以延續到凌晨，以現代人觀點來看，簡直不遜於年輕人的午夜狂歡。

　　第二天，部分來賓先行離開，但仍有不少人留下作客。霧峰林家頂厝的林獻堂、階堂兄弟，以及下厝的林幼春、林資彬、林瑞騰等五人共同做東，款待出席

左頁圖：1931 年 12 月 15 日 林獻堂致傅錫祺，商談櫟社 30 週年大會的經費支出事宜。（傅錫祺家屬／提供）

來賓晚宴，櫟社社員作陪，一行人繼續在林獻堂家中作「詩鐘」——此為一種限時吟詩的文字遊戲——直到 24 日早上才全部散會。

林獻堂《灌園先生日記》清楚記錄這次大會經過以及出席者名單，最值得注意的是他特別記錄以下這段話：

幼春演說擊缽吟非詩，用之以學詩之工具；詩要真，非出自衷心之言亦非詩，擊缽吟多非出自衷心之言，吾人當再求上進云云。余述閉會，謂櫟社三十週年紀念大會不敢過於擴大，因現在之時勢所不許，又霧峰場所狹隘，故僅招待三十餘人。次言詩人之交無利害之關係，因淡而能久，末言以文學共勉勵後進。

這番發言，其實是針對 1920 年代以來，臺灣的漢詩壇盛行以「擊缽吟」的形式集會作詩，其弊端常導致流於文字遊戲，甚至為爭奪競賽獎品與名次而醜態百出，備受新文學青年的攻擊。林幼春對這樣的現象深有所感，因此利用這次大會發出針砭之言，希望能將漢詩創作導回正軌。而林獻堂的發言則是強調：詩人以詩相交往，是基於共同興趣，最沒有利害關係，因此能淡而持久。兩人的發言，都是強調漢詩創作要有真誠的情感，不能流於虛偽或文字遊戲。

換一個角度觀察，這類大型詩會不但事先需要周詳規劃聯繫，更要有充裕的人力、財力與設備，並非人人有能力主辦。霧峰林家的林獻堂、林幼春叔侄既是櫟社核心要角，自然是出錢出力最多的東道主。連同兄弟族親三人，也都加入招

待貴賓的行列。而數十名出席者兩三天的食宿，全都由林家包辦，當然非財力雄厚者無法做到。

　　林獻堂事後寫給傅錫祺的信，表現一向的謙沖與慷慨，所謂「會前後諸食費所費無幾，請勿介意」云云，正是明證。信上提到的「伊若哥財政困乏，僅為詢問一次，不敢再催逼」。伊若是社員莊嵩（太岳）的字號，他出身鹿港，長期在霧峰林家擔任家庭教師，經濟條件較為困窘。信上所言，可能是指社員需分攤本次活動費用，而莊嵩無力繳交之故，林獻堂可能是顧及莊嵩自尊，既不便代繳，也不忍催交，因此信上以「收支已足以平衡」為他開脫。

　　第二封是 1955 年在日本所寫，回覆莊垂勝（1897 年～ 1962 年）的信。林獻堂晚年對戰後臺灣政局十分失望，為了避開政治紛擾，於是以治病為由遠走日本，從 1949 年 9 月至 1956 年 9 月去世為止，在日本度過寂寞的最後七年。1955 年 4月他回信給莊垂勝，全信內容如下：

遂性君如晤：

　　去年十月二十八日接讀十月十日寄來之信，歲月匆匆已過半年矣。至今始執筆作復，非懶惰也，祇緣頭眩及諸病魔纏繞之故也。

　　來信約千言，讀之無異面談。深喜君之四男一女皆已長成而又聰明好學，有此足可以慰晚年，而君尚懸念作二年館長，失良田三頃，何其所見之不廣也。古人墮甑不顧，余亦失去良田三百頃，而未嘗念及。日本三井、三菱、安田等十大

歲月匆匆已過半年矣至今始執筆作復非懶惰也

祇緣頭眩及諸病魔纏繞之故也束書約千言讀之乎

昊面談深喜君之四男一女皆已長成而又聰明好學有此

足以慰睠睞而君尚懸念作二季館長失良田何其

所見之不廣也古人隱甌不顧余亦失去良田三百頃而

未嘗念及日本三井三菱安田等十大財產業皆被沒

收子孫幸不至凍餒而已天道巡環盈虛不定惟有聽之

自然而已佳作甚妙大有進步然就中不無少瑕託竹軒代為

修改一二不知有合尊意否徐佛觀之評論未有接着

想在病中忘之乎昨寄少壽每日新聞之斷片暇時請一觀

之恐台紙未載也草之此復多倦不能多書也並此候

吟安

四月廿七日　　新　　拜

財閥，產業皆被沒收，子孫幸不至凍餒而已。天道循環，盈虧不定，惟有聽之自然而已。

佳作甚妙，大有進步，然就中不無少瑕。託竹軒代為修改一、二，不知有合尊意否？徐佛觀之評論未有接著，想在病中忘之乎。昨寄少奇《每日新聞》之斷片，暇時請一觀之，恐臺紙未載也。草草此復，手倦不能多書也。並候吟安。

獻堂啟　四月二十七日

「遂性」是莊垂勝的字號，他出身鹿港書香世家，前一封信提到的莊嵩（伊若）就是他的大哥。莊垂勝年輕時曾受林獻堂資助，赴日本留學，也是 1920 年代臺灣民族運動的健將，1925 年在臺中倡議籌設中央俱樂部，1927 年開辦中央書局，成為臺中文化活動的重要據點。戰後大約在 1945 至 1947 年間，曾被任命為臺中圖書館館長，致力於臺中地區戰後文化活動的復甦重建，不料受到二二八事件的牽連而被迫去職，從此退居霧峰萬斗六山居，以栽種果樹維生。而他擁有的山林是 1940 年代向林獻堂購得，也是他晚年安身立命的家園。

這封信最值得注意的是，林獻堂以自身的例子，開導莊垂勝不要對失去財產耿耿於懷：「君尚懸念作二年館長，失良田三頃，何其所見之不廣也。古人墮甑

左頁圖：1955 年林獻堂致莊垂勝函。（林莊生／提供）

不顧，余亦失去良田三百頃，而未嘗念及。」所謂「墮甑不顧」是指對既成的損失不再追悔。根據莊垂勝長子林莊生的回憶，莊垂勝原本在戰爭時期曾向林烈堂承租三甲農田，雇人自耕，戰爭時期因此能糧食自足。戰後由於他擔任臺中圖書館館長，無人管理農田而退租。不料，1949 年 4 月政府推行三七五減租政策，若先前未退租，這三甲農田便可放領為己有，因此莊垂勝相當後悔，林莊生的解釋是：「父親的後悔不僅是經濟上，而是有先見之明，但沒有徹底實行的自我慚愧。」

對林獻堂而言，戰後喪失農田多達三百頃，他不但淡然處之，還反過來舉出日本大財團的產業戰後被沒收的例子來安慰莊垂勝，可見他對金錢、產業的得失並未耿耿於懷。由此看來，有人認為林獻堂戰後遠走日本，部分原因是出自對三七五減租的不滿，這種說法並非事實。而信上說的：「天道循環，盈虧不定，惟有聽之自然而已。」也充分反映他「順應天命，聽任自然」的人生觀。

第三章

從詩作看林獻堂的時代感懷

週甲紀念
三十日寫

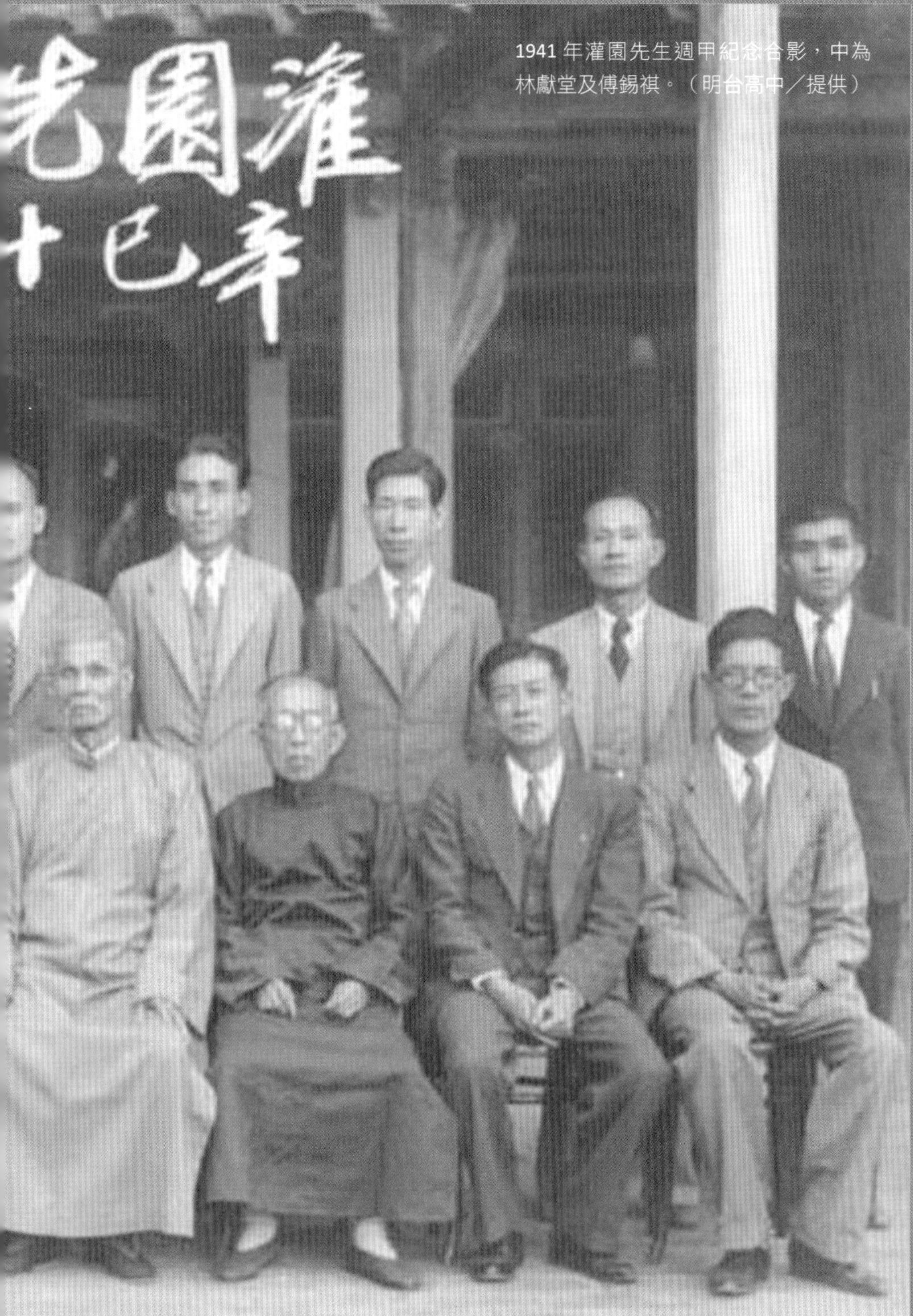

1941 年灌園先生週甲紀念合影，中為林獻堂及傅錫祺。（明台高中／提供）

以詩感懷——林獻堂詩作簡述

　　林獻堂於 1910 年加入由林朝崧、林幼春叔侄所創之「櫟社」，始從事舊詩創作，但直至 1939 年以前，多為政治運動奔走，故詩作數量甚少，本期主要作品可以 1922 年編竣《櫟社第一集》收錄的〈灌園詩草〉20 首為代表。

　　林獻堂作詩數量最多之時期，為二次大戰爆發之後的日治末期，本期作品包括寫於日本東京的《海上唱和集》和寫於霧峰的其它諸作，總數近三百首。而戰後初期，林獻堂自我放逐於日本，萬般苦悶，率皆發為吟詠，寄情詩作，曾結集為《東遊吟草》，收錄作品 115 首，於 1951 年出版。

　　葉榮鐘所編《林獻堂先生紀念集》(17)卷二「遺著‧詩集」部分，共收入林獻堂詩作，含《海上唱和集》、《東遊吟草》及葉氏所蒐集之「軼詩」，合計 449 首。龍文出版社出版之「臺灣先賢詩文集彙刊」第一輯所收《灌園詩集》（與《無悶草堂詩存》下冊合為一冊），乃根據上述葉榮鐘所編本加以影印出版。而 2014 年 11 月出版的《全臺詩》第 33 冊，另從各種日治時期及戰後的報紙、雜誌、未出版詩稿、《灌園先生日記》廣泛收錄林獻堂詩作(18)，是目前最齊全的版本。

　　林獻堂之從事詩歌創作，有明顯的時間集中現象，已見前述，而由於其作品與時代脈動之緊密關聯，本章將林獻堂詩分成三大階段：

- 早期：約 1910 年至 1922 年。
- 日治末期：集中在 1939 年至 1945 年間。

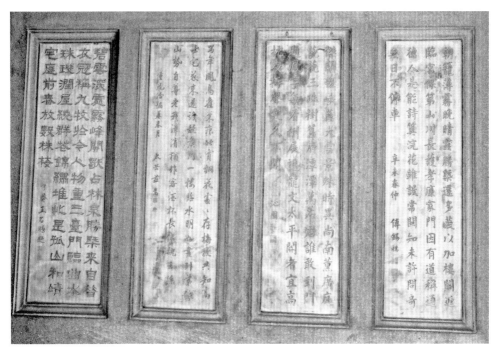

景薰樓入口牆面的題詩，皆出自櫟社成員之手。

- 戰後：1949 年～ 1954 年左右（即林獻堂晚年）。

以下摘取重要代表作，試圖透過詩作探討林獻堂對時代的感受，也足以顯示其人其詩與臺灣的密切關聯。

🎕 從弔古傷今到關懷原住民命運——林獻堂的早期作品

林獻堂早期作品，以登臨、弔古之作較為常見，如〈登圓山〉：

穹碑下馬感何窮，樹色朦朧夕照紅。多少英雄新事業，白雲依舊捲西風。

這首詩是 1909 年陪櫟社友人到臺北旅遊所寫，曾發表在《臺灣日日新報》。寫作技巧先以眼前景物起興，再以歷史人事的滄桑變化、對照自然宇宙（以白雲、西風為代表）的永恆不變，這是懷古詩之標準寫作模式。本詩用語雖有模仿古人之痕跡，但言外之意卻隱藏於首句之中，不宜輕忽。臺灣總督府曾於 1901 年建「臺灣神社」於臺北圓山，作為日本統治臺灣的精神象徵，但對臺灣人而言，卻是一座最不堪的標的物。若知道首句之「穹碑」，即是指矗立於臺灣神社的日本征臺紀念碑，則可知林獻堂「感何窮」所感者為何事。

同時期的〈滬尾〉一首，則明顯抒發故國之思：

觀音山上白雲飛，潮打長堤帶夕暈。江海茫茫何處好，神州吾欲御風歸。

滬尾，即今之淡水，位居淡水河出海口，隔水正臨觀音山，景色絕佳。林獻堂面對滔滔河水注入臺灣海峽，思路自然飄到海峽對岸的故國，這是他終生一貫的漢族意識的反映。而這種故國之思，也常見於與林獻堂同樣出生於日本領臺之前卻生存於日本治臺年代的傳統文人筆下。

林獻堂早期作品中特別值得注意的是，有兩首反映出他對臺灣原住民命運的

約 1910 年前後，臺灣總督佐久間左馬太（中坐者）至中部訪問，於霧峰與林氏族人合影。右三起分別為林紀堂、林階堂、林燕卿；左三起為林烈堂、林祖密。（明台高中／提供）

關懷，其中一首是七絕〈過仙臺弔佐久間總督〉：

荒墳三尺此長眠，都護雄圖冷似煙。豈是南蠻多反覆，攻心餘策感當年。

佐久間左馬太是日本殖民政權第五任臺灣總督，任期自 1906 年 4 月迄 1915 年 5 月，長達九年，是歷任總督中任期最長的。其任內主要「政績」係平定「叛亂」及鎮壓原住民。據黃昭堂的研究，佐久間任內 1906 年至 1909 年間，曾派遣部隊

鎮壓臺灣原住民達 18 次之多。1914 年更發動規模最大的對太魯閣族的攻擊作戰，由他本人親自領兵，動員日本軍隊、警察超過 11,000 人。本詩雖以「弔」為題，其實是對佐久間採取批評立場。第一句的「荒墳」，第二句的「冷似煙」，均隱含否定意味；而第三句的「南蠻」正是指臺灣原住民，雖寡不敵眾，卻發揮強韌的抵抗精神，令人肅然起敬。後二句以「豈是」的反詰語氣，批評佐久間一味以武力鎮壓原住民，並未能收服其民心，反而更激起彼等之反抗意識。證諸 1930 年爆發的「霧社事件」[19]，其說似有預警之洞見。

另一首五律〈討蕃〉[20]，思想意識也是相通的：

鹿豕同居者，由來化外人。不知求事大，空自念和親。

螻蟻生機迫，鯨鯢血壘新。蜘絲三面網，保種望深仁。

第一、二句說明原住民原先生活於與野獸同居的化外之地，自給自足。三、四句表面是加以批評不知降服於日本臺灣總督府，而妄想以「通婚」謀得長久的和平相處，其實語氣中有強烈的感慨和惋惜。所謂「和親」可以是指日本領臺之初，為了了解「蕃情」以利統治，官方往往鼓勵警察娶各社頭目或有地位者之女兒為妻。五、六句言總督府以軍隊、武器屠殺原住民，視他們的性命如螻蟻，而原住民慘遭殺戮，血跡斑斑，積血成壘，令人不忍卒睹。七、八句則轉而以十分哀矜的語氣為原住民請命：但願總督府當局網開一面，切勿趕盡殺絕，使原住民慘遭滅種之禍。

全詩批判日本軍隊以兇殘血腥手段對付原住民，能跳開漢人本位，站在同樣是被壓迫者的立場，對原住民致予深刻的關懷，頗富人道精神，值得稱道。

深刻幽微的反殖民意識──林獻堂的日治末期作品

約自 1939 至 1945 年間為二次世界大戰最激烈的時刻，也是林獻堂一生中作詩最多的時期，本期作品接近三百首，原因是當時臺灣已進入所謂「戰時體制」，日本對臺灣全面展開皇民化運動[21]，林獻堂原先領導之民族運動已完全沉寂，無可作為，只好退而借吟詠以自遣。另一方面，由於擔心固有種族文化被日本消滅的深憂，使林獻堂激起更強烈的使命感，藉由提倡漢詩寫作對抗日本的同化政策，這些都是本期作品數量最多的原因。

本期作品之主要內涵可標舉「反戰」與「反皇民化」作為精神主軸，其內在核心則是源自深刻的反殖民意識。由於當時日本統治方針愈趨嚴厲，箝制日緊，而以林獻堂社會名望之崇隆，向來為日本統治者注目、拉攏，甚或威脅、打擊之對象，故林獻堂詩作中「反戰」與「反皇民化」之意涵，每不得不以委婉隱晦之方式加以傳達。以下試舉例說明：

我亦延賓鑑賞來，春風紅紫共徘徊。洛陽未識今何似？江戶於茲正盛開。
漫詡風流欺弱柳，敢誇富貴笑寒梅。託根得地無妍醜，免被奔騰鐵騎摧。

1942 年 12 月 27 日，櫟社 40 週年大會紀念合影。（林莊生／提供）

　　本詩題為〈靜和園看牡丹〉，1940 年春天寫於東京。詩中巧妙運用盛開的牡丹，暗喻日本強權侵略中國。一、二句以賞花起興，三、四句則利用對比手法，言江戶（東京）牡丹盛開，而中國洛陽之牡丹可曾在戰火下安然綻放？五、六句顯然是批判日本霸權，恃強凌弱，七、八句暗含諷刺與感慨，意謂牡丹本身之妍醜與其遭遇無關，關鍵是它是否「託根得地」？否則再美的牡丹，只要種在中國，終將難逃戰火之摧殘。全詩之末，作者原註云：「洛陽被日本軍侵略，城市多為焚毀。」詩旨即隱寓其中。

　　從本詩可看出林獻堂對文化與種族的祖國──中國，終究有難以割捨之情

懍，對日本發動侵略戰爭有強烈的不滿。較諸當時部分逢迎日本治臺當局之文人，動輒以〈皇軍破徐州喜賦〉、〈祝皇軍南京入城〉等詩作「歌頌」日本，林獻堂堅持民族意識之操守，尤令人敬佩。

同樣以委婉手法批判日本發動侵略戰爭的詩作，為 1939 年年底在日本所寫的〈除夕感懷〉：

終年聞說戰爭功，收拾時艱策未窮。祈穀老農占好雨，祭詩跛客待春風。

爐中獸炭來非易，几上金罍幸不空。何處求得神力助？橿原夜半鼓逄逄。

本詩一、二句批評日本當局誇耀戰功，不斷發動戰爭卻自以為是挽救時局艱危。第三句暗指臺灣在戰時之農作物收成欠佳，第四句之「跛客」為詩者自稱（時傷足在日本養病），言勤於作詩寄情，甚望時局好轉。「春風」一詞含義豐富，給人很大的聯想空間。五、六句指戰時民生物資匱乏，得之不易。七、八句以日本天皇宮殿之播送鼓聲陣陣，刻劃戰火下之肅殺氣氛，不言批判，而諷刺自在言外。詩末，林獻堂自注云：「從來除夕夜半皆播送各寺鐘聲，今回獨播送神武天皇橿原宮鼓聲。」鐘聲代表靜謐與詳和，鼓聲則充滿殺伐之氣，而今皇宮以鼓聲取代往常之鐘聲，日本全國籠罩在窮兵黷武的好戰氣氛中，不難想見。

1940 年 10 月底，林獻堂自東京返臺，感受戰爭的衝擊更為直接而強烈，作於同年年底的〈歲暮感懷〉絕句四首，即描寫戰爭期間民生物資短缺，物價高昂。

買魚沽酒備新年，底事供求不自然？物價已停無貴賤，市廛偏要費多錢。

四海風雲日變遷，敢因需要欲求全？得來糯米誠非易，不作年糕亦過年。

旱魃颶風雨季連，又遭種蔗占良田。兒童未解凶年事，笑索多添壓歲錢。

留東詩友晤無緣，殘臘霜風薄暮天。爐炭已空杯酒盡，禦寒惟索舊重綿。

這組作品生動地刻劃出戰爭期間臺灣民眾過年的窘境。前二首寫過年必備之食品如魚、酒、糯米等均十分短缺，得之不易，價格奇昂。第三首言天災（乾旱、颱風）與人禍（良田被迫種甘蔗）交逼而至，造成欠收成的凶年，但無知的小兒猶不知人世艱辛，只盼望多拿些壓歲錢，前後對比強烈，描寫生動。第三首末二句也是寫出過年的窘迫情形。以林獻堂大地主之身分，也無法避免這種戰爭造成的民生困境，一般平民的苦況就更不堪細說了。

1940 年之後，臺灣總督府加緊推動皇民化政策，企圖從語言、姓名、風俗習慣各個層面，將臺灣人徹底同化，以便於統治，消除臺人之反日思想。林獻堂於 1941 年元旦有〈元旦試筆〉兩首，以隱微的手法，表達對此政策的抗拒與不滿：

門懸葦索插松枝，共飲屠蘇半醉時。一瓣心香家祭畢，書成日誌幸無違。

賀正客至滿階墀，萬歲聲中致祝辭。交禮會終人散後，晴窗獨寫寄懷詩。

第一首的「葦索」、「松枝」是指日本神道教的傳統飾物。當時統治者強迫臺人改變過年習俗，不准貼春聯，而改從日本習俗，在草繩上結一白色紙條，謂之「締繩」，掛在門框上，並在門前樹立一對用竹和松做成的「松枝」。表面上應付日本官方逼迫而不得不然，但在骨子裡，豈能數典忘祖，甘心作順民？因此，三、四句的「家祭」——過年祭祖，及寫日記——以干支紀年，都是對保存漢族固有風俗之堅持，拒絕被皇民化。第二首，寫出林獻堂由於特殊的社會角色和盛名之累，特別為日本官方所注意，因此過年賀客盈門之際，也不得不虛應故事，行禮如儀，高呼「天皇萬歲」，等到客人散去，才能遂行個人意志，藉寫詩遣懷，以寄託保存漢族意識的深衷。這兩首的寫法，都是以前半首之表面應付，與後半首之骨子裡抗拒形成對比，技巧相似。其隱微處在於「家祭」、「寫日記」、「寫詩」，這些作法背後都象徵著深層種族意識。而其中關鍵字眼如「幸無違」之欣慰、「獨寫詩」之堅持，尤不可輕易放過，才不會誤解詩旨。

　　林獻堂本期詩作「反皇民化」精神的另一特徵，表現在他大力鼓吹漢詩寫作的強烈使命感。提倡作詩不僅僅只是為了個人遣懷而已，更是保存漢族文化命脈的具體象徵，是一種對抗日本同化的利器。如他於1939年留日期間，組織「留東詩友會」，次年有一首〈示留東詩友會諸友〉對此有清晰自覺的表白：

　　浮海避塵囂，來作扶桑客……故鄉親友來，堅貞凌霜柏。沙邊結鷗盟，雅懷同一脈。斯文將喪時，扶持均有責。……文運期中興，此心永不易。萬里搏扶搖，

試看凌霄翻。

詩中念茲在茲的是與詩友重振斯文，中興文運，又如：

世事那堪皆袖手，天心未許作閒人。扶持文運吾儕責，同結鷗盟物外身。

〈步植亭親家見贈原韻〉

大雅扶持吾輩事，敢辭無力挽狂瀾。

〈次鶴亭老兄過訪原韻〉

文章遺世非無用，留予他年作指針。

〈讀陸詩有感〉

凡此，皆可看出林獻堂身處皇民化浪潮高漲的日治末期，如何將保存漢族文化命脈的希望寄託於漢詩寫作中。

林獻堂之所以對作詩抱持如此強烈的使命感與嚴肅、積極的態度，並對詩歌的價值推崇如此之高，必須從整個時代與文學、文化環境來加以觀察，才能深刻理解箇中所代表的意義。自 1924 年臺灣新文學運動興起以來，由於總督府的攏絡政策，致使詩社盛行而造成諸多不良風氣，舊詩所代表的舊文學因而倍受攻擊，

這些攻擊與批評，有來自新文學的提倡者，也有來自舊詩創作者。不過在新文學興起、逐漸茁壯的同時，舊詩社的活動事實上並未趨於沉寂，依舊盛行不衰，且不管是新文學或舊文學，其書寫工具都是漢文字。等到日本當局加緊推動皇民化政策，漢文遭受到全面的打壓，報紙、文學雜誌都全面以日文取代漢文，而興起不過短短十多年的漢文新文學迅速歸於沉寂，除了以日文創作所謂的「皇民文學」外，新文學創作者在戰時體制下，已失去創作的自由和發表的空間。此時，舊詩創作依舊在民間以同人聚會、詩社活動、相互觀摩的方式繼續傳遞漢族文化的香火。林獻堂在當時極力提倡漢詩創作，其深層意義在此。

葉榮鐘先生認為林獻堂在日治末期組織「漢詩習作會」，邀請櫟社社長傅錫祺為年輕一輩主講《史記》、唐詩等，竭力於傳習漢文，是林獻堂發自內心的意志，也是他一生中最致力的事業。其說可謂知言。

動亂時局的淒涼悲歌——林獻堂的戰後作品

戰後的林獻堂，寫作時間集中於 1949 年至 1951 年間，當時林獻堂因對戰後的臺灣時局失望，加以諸多不利於他的傳言，乃自我放逐於日本，至 1956 年病逝為止，終生未再返回故鄉。

在外在環境方面，1945 年二次大戰結束，臺灣重歸祖國懷抱，但 1947 年旋即發生臺灣近代史上最不幸的二二八事件 (22)，林獻堂本身雖倖免於難，但包括與

他熟識的林茂生、陳炘等臺灣菁英皆因此遇害，此一事件對林獻堂打擊甚大。兩年後，共產黨席捲中國大陸，國民政府撤退來臺，臺灣政局陷入一片風雨飄搖之中。由於諸多複雜的因素，林獻堂乃於 1949 年 9 月搭機赴日。

林獻堂晚年詩作，內容多反映當時臺灣與中國的動盪時局，關心臺灣民眾在戰亂烽火中的安危。包括二二八事件、國共內戰、個人自我放逐日本的悲涼心境，以及臺灣百姓之淒苦無助，都是描寫的重點。直接描寫二二八事件的詩作，首推〈二二八事變感懷〉七律一首：

> 光復欣逢舊弟兄，國家重建倍關情。干戈頓起誰能料，消息傳來夢亦驚。
> 全島幾難分黑白，大墩有幸自昏明。從茲綏靖多良策，不使牝雞得意鳴。

這首詩是發表在 1947 年 5 月出版的軍方刊物《正氣》月刊，該刊發行人柯遠芬，正是鎮壓二二八事件的代表人物之一。該期為「二二八事變專號」，顯然反映軍方所謂的「綏靖」立場，而林獻堂由於他的社會身分被迫以詩表態，在詩中流露出欲言又止、倍受壓抑的曲折心境。而最後一句所謂的「不使牝雞得意鳴」，應該是指謝雪紅 (23) 領導的臺灣共產黨，在二二八事件爆發後在臺中地區想掌握主導權，林獻堂原本就不認同謝雪紅的武裝路線，所以有此言。至於「從茲綏靖多良策」，則是言不由衷的政治表態。

對照林獻堂的秘書葉榮鐘所寫的唱和之作，由於並未公開發表，才能真正反

映臺灣知識分子對陳儀失政、導致二二八爆發的強烈不滿：

莫漫逢人說弟兄，閱墻貽笑最傷情。予求予取擅威福，如火如荼方震驚。
浩浩輿情歸寂寞，重重疑案未分明。巨奸禍首傳無恙，法外優遊得意鳴。

全詩主旨在批判國府失政與軍方殘暴鎮壓，使臺籍知識菁英冤死，而該追究的「巨奸禍首」還在得意洋洋，逍遙法外。

要真正理解林獻堂對二二八的感受，數年後他在日本所寫的〈三月一日聞雷〉一首，提供了更真實的心聲：

一聲霹靂出雲中，餘響遙拖羯鼓同。啟蟄龍蛇將起陸，應時花木漸成叢。
穿窗細雨深宵急，翻幕寒風薄幕洪。失箸英雄今已矣，惟餘燕子自西東。

第一、二句是以雷聲氣勢懾人，隱喻二二八之爆發。第三句形容各地反抗事件之紛起，如春雷後之驚蟄。第四句則暗諷批判在二二八事件中出賣朋友，投靠政府當局以求取富貴榮華的臺灣人。五、六句借風雨大作、細雨穿窗而入、窗簾被強風翻起，暗喻政府在事件後一連串恐怖的搜捕行動，挨家挨戶捉拿相關人物的肅殺情境。七、八句用歷史典故，譬喻自己就像三國時代的劉備，受到曹操的另眼看待，只好假裝因雷聲的驚嚇而掉了筷子，但如今已無可作為了；而劫後餘

生的臺灣菁英，就如同燕子飽受驚嚇而各分東西，亡命天涯。

這首〈三月一日聞雷〉，見於《東遊吟草》中，是 1951 年在日本所寫，距事件發生已相隔四年之久，當時林獻堂留居日本一年多，而故鄉則因國民政府甫遷臺灣，為鞏固政權，進入全面肅清異己的「白色恐怖」時代。就詩題及內容來看，好像只是一首普通的寫景詩，但放在時代背景及林獻堂的晚年遭遇來看，則不難體會這其實是故意以隱晦手法寄託深意的象徵詩。以寫作技巧而言，十分高妙，能抓住「雷響而風雨大作」的景象加以描摹刻劃，聲勢駭人，讀來令人心神震動。再細品內容，則感慨深沉，詩中有批判、有譏刺，但更多的是無奈和不平，尤其最後兩句的悲涼意味，真可謂老淚縱橫，力透紙背。

隨著國共內戰的惡化，林獻堂對時局的憂心有增無減。1949 年 4 月 23 日的日記中，他抄錄一首櫟社課題詩作〈民聲〉：

無衣無食忍饑寒，江北哀鴻度日寒。呼籲和平誰肯顧，普天何處一枝安。

他在這一天的日記中寫下：「國共和談破裂，於二十一日又戰爭開始，傳蔣總統由溪口移來杭州指揮作戰，士氣、民心皆已喪失，恐不但不能克復，而南京上海一不能守矣。」這首詩記錄的就是對當時局勢的關切之情。眼看國共內戰日漸激烈，他終於在 1949 年 9 月 23 日搭飛機赴日本東京。

幾月之間，國共內戰局勢急轉直下，李宗仁代理總統遠走美國，蔣介石 12

月 10 日自成都來臺，復出掌權。林獻堂在 1949 年冬天所寫的〈步文芳君冬日雅集原韻〉一詩，可說是晚年的代表作之一：

軍政紛紜似亂絲，黎民饑餓苦安之？波濤萬里重洋隔，欲吐哀音只賦詩。

首句點出國共內戰、時局紛擾不安的事實，次句關心民眾在亂世中的受苦無助，何去何從？後二句則寫自身漂泊日本，只能吟詩寄託哀音。所謂「欲吐哀音只賦詩」一語，正可說明林獻堂晚年詩的基調。林獻堂對時局的關心、對民眾安危的憂慮，是他一再提及的，如「世事如雲轉眼更，兵連禍結擾民生」（〈次桂華女士冬日雅集原韻〉），或說「故鄉人事從何說？何時安謐未可期？但願豐年民食足，共匪國難無相疑。」（〈庚寅元旦〉）關切的焦點都集中在民眾處在亂局中的受苦受害，可見他一生為臺灣人奔走、謀求幸福的抱負，始終不變。

國共內戰 (24) 進入勝負關鍵、國民政府軍隊節節敗退之際，林獻堂也有詩作留下紀錄：

傳來消息總關情，時事朝朝側耳聽。英美外交行各別，中蘇友好約將成。
海南作戰攻偏急，臺北興謠掃未清。自愧老衰已無用，惟祈民眾勿犧牲。

本詩題為〈聞廣播有感〉，作於 1950 年 1 月。1949 年 8 月 5 日，美國國務

院發表《中美關係白皮書》為美國政策辯護，表明在國共內戰中保持中立觀望的立場。1950 年 1 月 5 日，杜魯門再度聲明，美國無意以軍事援助臺灣的國民政府，臺北謠言四起，人心惶惶，盛傳共黨即將攻打臺灣。與此同時，毛澤東、周恩來先後赴莫斯科，於 2 月 14 日與蘇聯簽定《中蘇友好同盟互助條約》，而共產黨軍隊正猛烈攻擊海南島。從這些時事背景看來，本詩應是寫於 1950 年 1 月無誤。詩中三、四、五、六句正概括上述國內外情勢之發展，一、二句關切之情溢於言表，而最後兩句猶不忘以民眾安危為念。

　　林獻堂晚年自我放逐於日本，心境極為悲苦蒼涼，一方面思鄉情切，一方面又因諸多顧慮而阻斷他的回鄉之路，如此複雜矛盾的心緒，將他晚年詩作譜成一闋闋淒切動人的哀音。如下列兩首與張鏡村的唱和之作：

歸臺何日苦難禁，高論方知用意深。底事弟兄相殺戮，可憐家國付浮沈。
解愁尚有金雞酒，欲和難追白雪吟。民族自強曾努力，廿年風雨負初心。

　　本詩題為〈次鏡村氏鐮倉晤談有感原韻〉，1950 年春天所寫。首句是說鄉愁之苦幾難以承受，但何以遲遲未歸呢？第三、四句提供答案，有強烈的悲憤感慨意味，所謂「弟兄相殺戮」，可能是指二二八事件中，政府軍隊對臺灣民眾之殘暴虐殺，也可能是指國共內戰之害使家國沉淪，臺灣也因而處在激烈動盪之中。最後兩句是指林獻堂在日治時期曾為要求設立臺灣議會，奔走將近二十年，沒想

到如今政權回歸祖國，反而換來一場幻夢，違背當初的理想與期望。今昔對照，歷史的演變竟成了最大的反諷，怎不令人感慨萬千呢？對時局的灰心失望，大概就是他遲遲未歸的癥結所在吧！

另一首寫於 1951 年的作品〈次鏡村氏辛卯元旦爐邊感作原韻〉，內容如下：

亂絲時事任迍邅，夜半鐘聲到枕邊。底事異鄉長作客？恐遭浩劫未歸田。
萬方蠻觸爭成敗，遍地蟲沙孰憫憐？不飲屠蘇心已醉，太平何日度餘年？

全詩主旨仍是寫臺灣處在紛亂險惡世局中的憂心和感慨，詩的後半部流露出他一貫以臺灣民眾的生命安危為本位的關懷，將國共內戰與韓戰比喻為「蠻觸之爭」，可憐的是蒼生百姓命如蟲沙，常淪為戰亂的犧牲品。他期待臺灣太平，能回鄉安度餘年，難道竟是奢侈的想望？三、四句則明白反映出他滯留日本的原因，有一大部分是對回臺可能的遭遇有所疑慮。「恐遭浩劫」一語，從林獻堂好友陳炘、林茂生在二二八事件中遇害看來，其疑慮可謂其來有自，並非誇大之詞。

1952 年 5 月，曾任林獻堂秘書的葉榮鐘赴日本探視林獻堂，相聚達十天之久，林獻堂欣喜之餘，以〈壬辰五月下旬大仁別旁喜少奇過訪〉一詩贈之，詩云：

別來倏忽已三年，相見扶桑豈偶然？異國江山堪小住，故園花草有誰憐？
蕭蕭細雨連床話，煜煜寒燈抵足眠。病體苦炎歸未得，束裝須待菊花天。

葉榮鐘曾追隨林獻堂多年，兩人情誼極為深厚，本詩寫作時，林獻堂已蟄居日本過著隱遁的生活將近三年，兩人臺灣一別三年已過，如今異國重逢，欣喜與感慨必然充塞在林獻堂心中，詩中「豈偶然」、「堪小住」之語，都有深沉的感慨和無奈之意，而「故園花草有誰憐？」更是道盡滿腔的思鄉情切，卻又欲歸不得之苦。葉榮鐘引述本詩時曾說：

　　據我當時的觀察，老人家內心一定滿著懷鄉的意念，同時也有有家歸未得的苦衷。這兩種互相矛盾的意念，構成了深刻的痛苦，不時在他的內心深處煎迫，使他的生活沉悶寡歡，進而摧殘了他的生命根源。

　　這段話最能道出林獻堂心境的幽微部分。以林獻堂一生為臺灣人爭取福祉的努力，最後卻落得漂泊異國、抑鬱而終的下場，毋寧是歷史最無情的嘲諷吧！

　　由於林獻堂長期蟄居日本，對國民政府形象有損，於是政府再三派人遊說他回臺。從林獻堂日記與詩作中，可以確定林獻堂曾數度有回臺的打算，而最後卻因為種種顧慮而打消念頭。這些顧慮包括謠傳他參加臺獨、回臺後政府將對他有所不利，朋友認為他回臺只能成為御用紳士，不可能有所作為，以及他對蔣介石政權的專制與戒嚴統治有強烈不滿等。

　　1955 年 9 月，日治時期一起從事民族運動的同志蔡培火，戰後已在國民政府

任職，專程受命來勸說他回臺。他對蔡培火的數度遊說頗為厭煩，在舉棋不定之下，多次徵詢友人意見，幾乎都是一面倒的反對，而經過自己仔細衡量之後，10月14日終於對蔡培火直白告知：

　　危邦不入，亂邦不居，曾受先聖人之教訓，豈敢忘之也。臺灣者，危邦、亂邦也，豈可入乎、居乎。非僅危亂而已，概無法律，一任蔣氏之生殺與奪，我若歸去，無異籠中之雞也。

　　由於這番直率的告白，蔡培火才放棄勸說。林獻堂這段話，也可以說是對蔣介石政權的強烈指控。因此他最後病逝日本，終生未返回故鄉，有評論者認為這是他對臺灣人盡節的表示。

　　1955 年 7 月 17 日，林獻堂次子林猶龍病逝臺灣，對林獻堂打擊甚大，他在日記中寫下〈囑猶兒〉一詩，可能是林獻堂一生最後一首詩作：

　　萬里重洋噩耗傳，如聞巨炮擊危顛。九原相待無多日，先為雙親覓一椽。

　　寫此詩時，林獻堂可說已是生趣索然，心如槁木死灰，自覺來日無多，因此寫來一字一淚，幾等同於絕筆詩，令人不忍卒讀。林獻堂果然於次年 9 月病逝日本東京，結束了他波瀾壯闊的一生。

　　整體而言，戰後的林獻堂詩是極度悲滾淒苦的，而這種悲涼之音並非古國古

林猶龍。（明台高中／提供）

代文人自憐自艾、懷才不遇的老調，其實正是臺灣近代悲情的一頁縮影，值得吾人細細品味。

時代的鏗鏘之聲
——林獻堂詩作的時代意義

若純就詩歌創作技巧而論，林獻堂由於學詩起步較晚，其作品之藝術成就可能不如櫟社的另外兩位主導人物，也就是霧峰林家的才俊林朝崧、林幼春。但林朝崧的思想意識較為保守，生活又不脫離酒色相伴，從而影響其詩作內涵較受局限。至於林幼春，其人其詩則均倍受推崇肯定，有「日治時代三大詩人之一」、「臺灣第一才子」、「臺灣民族詩人」等美稱，惟林朝崧病逝於 1915 年，林幼春則在 1939 年抑鬱以終，兩人逝世之年代，分別為日治初期和中期。因此，林獻堂自 1939 年起專注心力寫詩，便有延續「以詩存史」的重大意義與價值。換言之，林獻堂詩之最大意義，在於刻劃臺灣自日治末期以迄戰後初期的特殊歷史處境，為動盪時代留下清晰的文學紀錄。尤其他一生跨越「日治」與「戰後」兩大階段，為林朝崧、林幼春所無，使其詩作內容倍增複雜曲折的時代意涵，等於是臺灣近

代悲情透過其詩作描繪出的一幅生動側影。

　　從他的詩作中，我們看到一位極富名望的舊式知識分子，如何為土地與人民付出他肫懇無私的關懷。從早期作品中，我們可發現他能跳脫漢人本位，對原住民慘遭日本當局鎮壓深致同情。在日治末期，其作品內涵主要集中於反映臺灣在戰爭陰影下的民生艱困、及命運受制於異族的無奈，委婉譏刺日本發動侵略戰爭的兇暴本質，並致力提倡漢詩寫作，以堅持漢族意識，抗拒日本的皇民化政策，為黑暗時代點燃一盞不熄的燈火。而戰後階段的晚年作品，則反映出臺灣、中國時勢的急遽惡化、民眾的無辜受害，以及個人避居日本、有家難歸之深痛。從他的詩作中，我們不只看到近代臺灣的一頁滄桑史，也可以讀到他的人生歷程如何與臺灣命運緊緊相繫，而他百轉千回的曲折心境更是清晰映現其中，令人低迴不已。

（明台高中／提供）

第四章

林獻堂和他的朋友

林獻堂的活動領域涵蓋政治、文學、藝術、宗教、商業等，因此人際接觸層面極為廣泛。（明台高中／提供）

林獻堂出身地主階層的大家族，又長期活躍於不同的社會場域，人際接觸層面極廣。其一生跨越清領時期、日治時期、戰後國民政府統治時期三大階段，不同時期往來互動人物極多，涵蓋政治、文學、藝術、宗教、商業等各種不同領域。由於他的人際圈過於廣泛，為了避免浮光掠影式的介紹，本書僅選取七位具有特殊意義的朋友或晚輩，觀察林獻堂與這些人的互動及其所反映的多重意涵。這些人分別是梁啟超、林幼春、蔡惠如、蔣渭水、賴和、陳虛谷、葉榮鐘。論交情，他們與林獻堂的互動有親疏之別，但這些人與林獻堂的往來，都具有相當特殊的意義，值得我們作進一步的認識、了解。

梁啟超從晚清到民初，是中國近代史上的活躍人物，影響林獻堂大半生從事民族運動的主要走向。林幼春既是他的至親，也是他從事政治運動與文學寫作不可或缺的左右手，兩人終生情誼深厚。而蔡惠如、蔣渭水、賴和三人，同樣是林

獻堂的政治運動同志，其中蔡惠如既是霧峰林家的姻親，早有事業上的共同投資，同時又是櫟社詩友，關係原本相當密切，但他與林獻堂個性差異甚大，因而影響兩人的情誼。蔣渭水與林獻堂在抗日運動陣營共同奮鬥長達十年，但兩人的互動集中在政治社會運動領域，並無私交。至於賴和，與林獻堂的共同交集包括政治運動與文學往來，在輩分上，賴和屬於晚輩，論思想根源，賴和趨近強調關懷弱勢的社會主義思想，與林獻堂的資產階級出身有根本性的歧異。

真正與林獻堂交情較深的朋友或晚輩，可舉陳虛谷與葉榮鐘為代表。陳虛谷雖然早年曾跟隨林獻堂為政治運動奔走，但他們更大的共同興趣卻是以詩締交，藉由互相唱和互勉，心靈相通，也可以說他們共同以詩作為生命的救贖，熬過人生諸多考驗與劫難，感情深厚。葉榮鐘從青年時期到後半生，都受到林獻堂的提攜照顧，而他對林獻堂不但充滿感恩，更深受其人格薰陶。在林獻堂去世後的黑暗年代，他更深感從事臺灣文史著述以保存歷史記憶、發揚臺灣先賢事蹟與人格光輝是他責無旁貸的使命，因而適時且稱職地扮演臺灣歷史與文學傳承者的角色，完成重大的歷史任務，這與林獻堂對他的感召有密不可分的關聯性。以下即逐一詳述林獻堂與這些人物的往來互動情形。

民族運動的啟蒙 ——林獻堂與梁啟超

林獻堂參與政治運動，較為人熟知的是 1920 年代領導抗日民族運動，先是

林獻堂曾與梁啟超數度會面，日後更以書信保持往來，深刻地影響林獻堂的政治思想。（明台高中／提供）

1920 年在日本被留日知識青年推舉為新民會會長，1921 年又被推舉擔任臺灣文化協會總理，但若論他參與政治的起步，應該可上溯到 1907 年與梁啟超 (25) 在日本的結識。這段戲劇性的認識經過，常為後人所津津樂道。

　　根據當時擔任林獻堂隨行秘書的甘得中回憶，林獻堂是偶然在日本奈良下榻的旅社發現梁啟超的名字才得以初識梁啟超，透過甘得中的口譯，加上筆談，兩人展開交流。而梁啟超當時落筆的幾句話：「本是同根，今成異國……滄桑之感，

諒有同情……今夜之遇，誠非偶然。」尤其深深觸動林獻堂的內心，這樣的描述反映臺灣因甲午戰爭而被割讓成為日本殖民地之後，臺灣人的深沉感慨——原先的祖國今已成異國。

1910 年林獻堂攜子赴日本留學時，與梁啟超在神戶二度會面，梁氏在林獻堂盛情邀請之下，決定來臺於訪問，並於 1911 年 3 月至 4 月間成行。梁啟超訪臺，是日治時期臺灣文化界的一大盛事，對臺灣的民族運動影響深遠。1911 年 3 月下旬，梁啟超搭乘笠戶丸郵輪抵達臺灣基隆，在臺北停留數日後，4 月 2 日坐火車抵達臺中，與中部地區士紳文人會晤，隨後並在霧峰林家作客多日。梁啟超勸說林獻堂、林幼春叔侄，不可「以文人終身」，須努力研究政治、經濟以及社會思想等學問。尤其他鼓勵林獻堂等人效法愛爾蘭抗英的模式，尋求日本朝野的支持，以逐步取得參政權，這一提醒對林獻堂日後領導「非武裝抗日運動」產生極大的影響。

林獻堂日後持續與梁啟超保持往來，兩人保持密切通信。民國成立後的第二年（1913 年），林獻堂至中國旅遊，梁啟超禮尚往來也曾親自接待。霧峰林獻堂的後人至今仍保有梁啟超「題萊園十二絕句」的墨寶。

相知相惜的叔侄——林獻堂與林幼春

林幼春（1880 年～ 1939 年）在日治時期臺灣詩壇擁有崇高的聲名，被譽為

當時臺灣的三大傳統詩人之一，後輩文學家包括陳虛谷、張深切、楊逵、楊雲萍等人，都對他的文學成就與人格風範推崇備至。他出身霧峰林家下厝一系，在輩分上是林獻堂的晚輩，論年齡則大林獻堂一歲。在家族內部，他一直與林獻堂保持極佳的互動，而在政治與文學的領域，他既是林獻堂從事政治運動的最佳參謀，也同時與林獻堂、社長傅錫祺並列為維繫櫟社運作的三大臺柱。

他與叔父林朝崧、彰化賴紹堯是櫟社最初的發起人，而他早年嗜讀梁啟超的時論文章，曾介紹給林獻堂閱讀，間接埋下林獻堂邀請梁啟超於 1911 年訪臺的種子。1921 年 10 月臺灣文化協會成立，林幼春當選為理事，1923 年接任協理一職，專職輔佐林獻堂。

1923 年轟動一時的「治警事件」爆發後，他因對臺灣議會設置請願運動參與極深而被羈押，並經三審判定，在 1925 年 3 月 2 日入監服刑，成為臺灣最早的政治犯之一，並留下不少膾炙人口的入獄詩篇。另一方面，由於詩藝精湛，他常代替林獻堂撰寫詩作，包括現存於霧峰林家景薰樓入口門面的林獻堂詩作，以及萊園（明台高中校園）內的鐵砲碑署名灌園的題詩，其實都是由他代筆，可見林獻堂在文學上對他的倚重與折服。

私領域方面，林獻堂與林幼春都喜歡下圍棋，日記中常見林幼春與高手對弈、林獻堂觀戰的記載。只要林獻堂在霧峰家中，就經常去找林幼春聊天，從討論家族內部事務到政治與社會活動、櫟社集會、圍棋賽事，幾乎無話不談。更特別的是，林幼春與長子林培英曾有衝突，林獻堂應林培英請託出面化解父子糾紛，可

見兩人互信之深。

林幼春的文學造詣極高，可惜因早年即得肺病，身體健康狀況不佳，且下筆極為慎重，一生留下的詩文作品為數不多。其長子林培英在父親去世多年後，於1964年編輯其遺稿為《南強詩集》一書發行，除收錄四百多首詩作之外，另附有古文十篇。他雖屬舊詩人，但思想開通，曾大力支持新文學，也曾嘗試以白話體創作歌詞〈愛鄉組曲：吾鄉好〉，被林瑞明教授收入他主編《國民文選・現代詩》書中。

林獻堂非常欣賞林幼春的文學才華，也常鼓勵林幼春多多寫作。他在1939年2月22日的日記中，留下一則有意思的記事：

持胡適《四十自述》之書往示幼春，囑其亦寫六十自述。他近來身體稍好，熱心作詩，或能如余所囑。

胡適非常重視傳記寫作，曾在北大講授「傳記文學」，因有感於中國傳記文學的缺乏，曾在1933年出版《四十自述》，期能拋磚引玉，開啟撰寫自傳的風氣。根據林獻堂日記1939年2月9日記載，可知這本書是葉榮鐘推薦給他閱讀，希望他明年60歲也開始動筆寫自傳，林獻堂很認同葉榮鐘的提議，擔心記憶隨著時間而消逝。他讀後顯然心有所感，希望林幼春也能效法寫自傳。之後也曾力勸林幼春不值得與黃春潮打筆仗，不要浪費精神在沒有意義的口舌之爭上。

1924年日本眾議院議員田川大吉郎訪問霧峰林家，於林階堂宅邸前合影。前排由左至右分別是林幼春、林階堂、林獻堂、田川大吉郎。後排立者左一為葉榮鐘。（明台高中／提供）

可惜林幼春並未下定決心，為自己留下更完整的人生紀錄。不到八個月後，便不幸因病去世。

1939 年 7 月林獻堂赴日本，9 月林獻堂在東京不慎滑倒，造成嚴重骨折，只好繼續留居日本養病。10 月 2 日，他接到林培英來電告知林幼春去世的噩耗，在日記中寫道：

> 培英來電謂其父死去，聞之淒然終日。余與幼春為叔侄數十年，愈老而情意愈密，凡有意見時，為智識交換以補不足，而文學之進步亦受其薰陶不少，今一旦長別，以後何從質疑，豈不悲哉。

從他所說的「聞之淒然終日」、「愈老而情意愈密」這些簡短描述，不難看出林獻堂對林幼春實擁有超越親戚關係之上的深刻情誼，如果以現代用語來說，他們不但是曾為臺灣政治運動共同奮鬥的革命同志，更是分享文學與生命經驗的知音。

沉穩與豪爽的相遇——林獻堂與蔡惠如

在櫟社詩人群中，投入政治運動最多的代表人物，除霧峰林家的林獻堂、林幼春叔侄之外，出身清水的蔡惠如（1881 年～ 1929 年）也是不能忽視的領導者之一。可惜的是，由於他去世甚早，相關資料零散，當代人對他非常陌生。近年

蔡惠如。（蔡海如／提供）

臺大出版社曾出版謝金蓉女士《蔡惠如和他的時代》，與筆者編著的《蔡惠如資料彙編與研究》兩本專書，稍稍彌補資料零散的缺憾。

蔡惠如，字江柳，號鐵生，其家族是清水望族，以經商致富起家。他早年繼承家業，在臺灣經營不少事業，也曾被派任為臺中區長。由於清水蔡家與霧峰林家都是當時臺灣的大家族，且彼此也有姻親關係，可推測蔡惠如與林獻堂、林幼春等人結識極早。

1906 年他加入櫟社，1915 年因「同化會事件」的失敗，讓他認清日本殖民者的本質，憤而離開臺灣，一方面到日本與中國發展事業，一方面積極串連各方力量，積極投入民族運動。1918 年 9 月他發起臺灣文社，表現他對維護漢文化的努力與決心，他的倡議獲得各方響應，並由櫟社核心成員分工合作。傅錫祺、林子瑾等人則實際擔任《臺灣文藝叢誌》的編輯與發行工作。

1920 年代，他常往來於日本東京、中國上海、北京、福州等地。在日本期間，他與臺灣留日學生共同發起啟發會、新民會，並建議由林獻堂擔任會長，他自居副會長。1923 年至 1925 年間，是他在臺灣積極投入民族運動的黃金階段。後來

他因投入臺灣議會設置請願運動，同樣在治警事件中被羈押，並經判刑確定，在《臺灣民報》、《臺灣詩薈》等報紙雜誌，發表大量慷慨激昂、振奮人心的入獄詩詞。1925 年 6 月，櫟社在蔡惠如與林幼春出獄後，也特別在霧峰林獻堂的萊園舉行出獄慰安會，予以精神支持。

1925 年 5 月他假釋出獄，隨即參與不少巡迴演講，如 6 月 17 日在故鄉清水主持文化講演，並主講「人生之意義」，而兩位後輩如莊垂勝主講「始政三十年之意味」、葉榮鐘則主講「薄冰上的經濟生活」。結果蔡惠如的演講被日本警察要求中止，莊垂勝則被警告，可見他們對日本的殖民統治都有犀利的批判或諷刺。6 月 20 日，他與林獻堂、林幼春三人連袂在臺中大甲媽祖廟（鎮瀾宮）發表演講，林獻堂講題是「臺灣文化協會之使命」，林幼春講「一進一退之臺灣觀」，蔡惠如則講「時代之推移與民智之進化」，從題目便可看出林獻堂、蔡惠如在思想上的先進。

不過，由於蔡惠如與林獻堂個性差異甚大，林獻堂沉穩而冷靜，蔡惠如則是熱情而豪爽，彼此互動似乎不是那麼水乳交融。1929 年蔡惠如去世後，蔣渭水曾發表悼念文章〈對蔡惠如氏平生的感言〉有以下描述：

我又記得大正十二年同他上京請願臺灣議會時，同宿在若松町臺灣民報社樓上，同培火、逢源兩同志，四人連枕而臥，更深夜闌的時候，互相談起臺灣的問題來，他就慷慨悲歌攻擊臺灣同志的做事不徹底，容易被人妥協，罵得極其痛快，至於至情則聲淚俱下，其形容至今猶存在我的腦底。

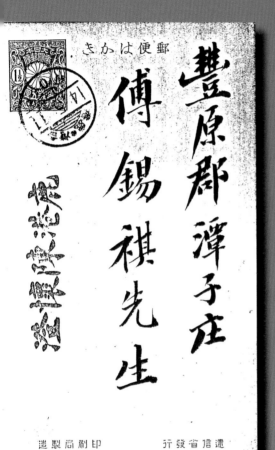

本日聞南強錢生三君已一同出獄為之
欣慰灌園君適客此為受敕邑諸者
年歡迎而辱臨也 前議六六日之慰安會
灌君倡議縮短廿日即来十六日土曜日也
尊意如以為可乞速發函走達各吟發
為應
大慶日夜十二時沁啓

郵便はかき
豐原郡 潭子庄
傅錫祺先生

印刷局製造
遞信省發行

1925 年 5 月 11 日 林幼春、蔡惠如出獄，當天林獻堂在鹿港，無法到場。（傅錫祺家屬／提供）

從時間點與描述內容判斷，當時蔡惠如「慷慨悲歌攻擊臺灣同志的做事不徹底，容易被人妥協」所攻擊的對象，極可能就是針對林獻堂而發，此一事例清楚地呈現兩人個性的差異。1927 年林獻堂決定要進行環球旅遊，蔡惠如曾力勸他將這筆資金用來經營《臺灣新民報》，但林獻堂為環球之旅規劃很久，心意已決，並未採納蔡惠如的意見。

1929 年 2 月 28 日，林獻堂在臺北江山樓受羅萬俥的晚宴招待，蔡惠如應邀參加餐會。次日，蔡惠如、蔡式穀來臺北高義閣旅館拜訪林獻堂，這也是蔡惠如與林獻堂最後的晤面。其後蔡惠如又轉往福州，直到 5 月 12 日因患腦溢血症，由福州歸臺，入中村醫院治療，延至 5 月 20 日不治，享年僅 49 歲。

1929 年 6 月 1 日下午 2 點，蔡惠如的告別式在清水紫雲巖盛大舉行，林獻堂與諸多同志都親臨致哀，根據林獻堂估計，參加喪禮的人數約有兩百多人，場面浩大。不過林獻堂當天日記的描述，語氣平淡，看不出特別哀傷的情緒，這也可以從林獻堂公開弔念的文章中看出端倪。文中他如此描述蔡惠如的個性：

鐵生是一個熱血的男子，十年來的政治運動，或直接或間接受其援助之力不少。他又是一個不畏權勢而好直言的人，記得大正十年春在東京中國青年會館，歡迎北京大學教授高一函氏，鐵生作主人總代起述歡迎辭，其中一設說麻雀阿片之害可以亡中國，望高先生回去好好教訓國民使其反省。及會散後余告之曰，剛纔汝的所言未嘗不是，總是所用的口吻不對未免使高氏難堪。鐵生曰，不如是恐

怕他不記得，這就是鐵生的好處在此，而鐵生的失敗處亦在此，「唉」！

　　林獻堂認為蔡惠如為人「不畏權勢而好直言」，這是肯定他的個性豪邁而正直，但也因此無形中容易得罪人，甚至樹敵，因而他認為「鐵生的好處在此，而鐵生的失敗處亦在此」。這番看法，正充分顯示出兩人迥然不同的個性。林獻堂以一個驚嘆號的「唉」字收尾，我們似乎也聽到他的沉重嘆息聲。

共同奮鬥的戰友──林獻堂與蔣渭水

　　蔣渭水（1891 年～ 1931 年），宜蘭人，畢業於總督府醫學校，在學期間結識臺灣各地知識青年，日後成為政治運動的同志。1921 年他發起臺灣文化協會，10 月 17 日在臺北靜修女中舉行成立大會，並敦請林獻堂擔任總理一職，從此兩人展開長期合作，為臺灣前途共同奮鬥。在政治立場上，如果他們選擇順從當權者或是默不作聲，至少都可以確保自身利益，財富與地位也將更加穩固，但他們寧可選擇一條艱困的道路，勇於與日本殖民當局抗爭[26]。

　　林獻堂與蔣渭水是臺灣文化協會成立初期的兩大主幹，從 1921 年 10 月文協成立，到 1931 年林獻堂退出臺灣民眾黨為止，他們並肩奮鬥前後約十年。林獻堂代表的是具有相當財力與社會地位的士紳階層，而蔣渭水則代表在殖民統治下接受新式教育的知識菁英。

臺灣文化協會創立後，舉辦首次的幹部大會。前排左一為蔣渭水，左二為林獻堂。（明台高中／提供）

從 1921 年到 1926 年，可說是臺灣文化協會的黃金年代，他們舉辦文化演講，以「美臺團」舉行電影巡迴放映，舉辦夏季學校，並積極串聯各界，到日本從事議會設置請願，並以《臺灣民報》為宣傳工具，積極宣揚理念，並致力民眾啟蒙教育。尤其治警事件爆發後，《臺灣民報》曾連續以大篇幅報導事件的後續發展以及審判經過，乃至被捕同志的入獄相關詩文，一時波瀾洶湧，發揮極大的宣傳作用。可惜 1927 年以後，文化協會出現激烈的路線之爭，最後導致分裂。新文協由左派掌握，蔣渭水後來另創「臺灣民眾黨」。

自 1927 年至 1929 年間，民眾黨致力於宣傳、演講等活動。1928 年日本官方頒布的「臺灣新鴉片令」，由總督特許本令施行前有鴉片癮者准予吸食，臺灣民眾黨憤而於 1930 年 1 月直接致電日內瓦國際聯盟本部，控訴總督府「違背國際條約」，該聯盟於 3 月派員來臺調查。由林獻堂、蔣渭水等人會見聯盟代表，陳述臺灣吸食鴉片情況。1930 年 8 月，林獻堂、蔡培火、楊肇嘉等人有見於蔣渭水領導的民眾黨逐漸傾向於勞工農民為主的階級運動，乃另組「臺灣地方自治聯盟」。1931 年 1 月，林獻堂、林幼春宣布辭去民眾黨顧問之職，蔣渭水領導的民眾黨與林獻堂等人終於分道揚鑣。1931 年 2 月，日警利用民眾黨開會時加以取締，命令解散集會，並逮捕蔣渭水等人，翌日才加以釋放。1931 年 8 月，蔣渭水留下未竟之志，意外地以 40 歲之壯年病逝臺北。

1927 年至 1931 年的林獻堂《灌園先生日記》，密集地出現蔣渭水與林獻堂互動的記載，幾乎都是政治事務的討論互動，本書第二章曾引述 1930 年的林獻堂

《灌園先生日記》，說明林、蔣兩人指控總督府頒布「臺灣新鴉片令」，特許本令施行前有鴉片癮者准予吸食一事。以下再舉 1929 年日記的幾則相關記載，觀察兩人互動情形。

新六月九日：昨日《臺日》紙載，謝春木、王鍾麟為民眾黨代表奉獻花環，將以參列孫中山的葬式，被南京政府拒絕云云。本日修書問渭水，果有其事乎？並寄去金貳百 。

新九月十四日：遂性導其店員二人來遊，並述昨日午後四時，民眾黨臺中支部黨員大會決議三條：一、請願設置臺灣行政裁判所，二、請願實施地方自治，三、各地方組織社會研究會。余頗贊成其說，明日渭水欲來，囑其將此事詳細與之打合。

新九月十五日：八時餘渭水來，他將赴彰化支部黨員大會及今夜之講演會，因欲勸誘茂鉾辦理黨務，特來與之交涉。茂鉾之意似在可否之間，而不表明。談了半日，終不得要領。遂性亦來與渭水議昨日支部所決議三條，渭水皆贊成。惟社會研究會遂性主張須本部派人指導，並供給費用；渭水則主張一任各地方之自由組織，兩方意見相去頗遠。午餐後渭水、遂性往訪幼春、階堂、資彬、阿華、其賢等。六時始往彰化。

新九月二十一日：將茂鉾之意見修書告渭水，並寄去民眾黨之寄付金二千元之殘額四百元。

　　新十月二十日，臺北：八時半將訪渭水，適春木來，並招之同往，在大安醫院會楊連樹、白成枝、黃江連、楊四川、連雅堂、連震東、李友三等雜談二時餘。

　　新十一月十日：參列民眾黨中央執行委員會

　　三時赴民眾黨本部參列中央執行委員會。入門則聞喧嘩之聲，諸當事者正在逐憲兵偵探也。余傍聽會議二時間將先辭退，渭水請講話。余先述欽佩議事之熱心，皆以理智解決而不用感情；次言自治須由一身自治始，若一身不能自治，我黨、我臺灣何能自治？如目下諸君皆在階前小便，於衛生上不潔，於體裁上亦甚不雅觀，此豈非不能自治之明證乎？

　　新十一月三十日政壇講演會

　　晚元煌、右、萬成、先於、逢源、渭水陸續而來，以外之辯士尚有成龍、茂鉾。七時在戲園開政談講演會，以民眾黨南投支部主催，支部長洪元煌為司會者。聽眾約有三、四百人，頗呈盛況。余述開會辭，水來述閉會辭。諸辯士唯元煌被中止，而萬成因無時間不講演，十一時閉會。渭水、元煌等俱往宿於阿華處，先於、逢源、金鐘返臺中。

1921 年，林獻堂率領臺灣議會請願團赴日本東京，進行遊行請願活動。
中立者為林獻堂。（明台高中／提供）

歡迎臺灣議會請願團

新十二月一日　潭子林天來來，謂臺灣運動團體四分五裂，豈無法復再統一乎？每閱報紙常看檢束之事，作事手腕當穩健，若要犧牲，亦不可如是之多大云云。二時餘渭水、元煌來，坐談片刻即往幼春處。三時往臺中。

新十二月三十一日　培火謂民眾黨非大整頓不可，欲整頓非肇嘉歸來不可，總是肇嘉必定與渭水衝突。余問其有何方法能使肇嘉歸來，而又不與渭水衝突？他謂使渭水隱退。然此事亦實大不易也，除肇嘉以外，尚有何人？他隱然有自負之意。

從以上記載，可以觀察到幾件事實：其一，林獻堂與蔣渭水互動相當頻繁，但全屬於政治事務的討論與互動，且都是多人在場討論，判斷兩人並無私交。其二，林獻堂對臺灣民眾黨的活動仍給予支持，包括 1929 年贊助經費兩千元，配合演講宣傳活動，常共同在臺北、臺中或霧峰林家開會研商。其三，林獻堂與蔣渭水理念不合的情形逐漸浮上檯面。蔡培火、楊肇嘉於是在 1930 年 8 月另組「臺灣自治聯盟」，林獻堂擔任顧問，並在 1931 年 1 月辭卸民眾黨顧問職。1929 年 12 月 1 日，潭子人林天來拜訪林獻堂，對臺灣政治運動團體四分五裂的狀況極表憂心，林獻堂也無法做適當回應。

另外上引日記中比較有意思的一則記載是：11 月 10 日林獻堂在臺北以顧問身分出席民眾黨中央執行委員會，應蔣渭水邀請講話時，席上大聲疾呼：「自治

須由一身自治始，若一身不能自治，我黨、我臺灣何能自治？」更進而直言批評：「如目下諸君皆在階前小便，於衛生上不潔，於體裁上亦甚不雅觀，此豈非不能自治之明證乎？」原來當時即使熱衷參與政治運動的臺灣男性，還有在階梯前隨地小便的壞習慣，當林獻堂如此直接點破，在場聽講者想必都相當尷尬吧。

1931 年 8 月 5 日下午，林獻堂接到羅萬俥電報，告知蔣渭水早上因病去世，原本打算坐夜車北上弔唁，但因右肩疼痛，楊肇嘉勸他等確定出殯日期再北上。當天夜裡他趕寫弔念哀辭，無法終篇，第二天清晨寫完後，立即寄給臺灣新民報社。8 月 7 日的日記則寫道：因蔣氏之出殯定在 8 月 23 日，時間尚久，覺得非往一弔遺族，於心難安，於是他決定次日北上，甚至為此「終夜輾轉，不能成寐」。1931 年 8 月 8 日的日記，他如此描述當天專程到臺北大稻埕大安醫院，弔唁蔣氏遺族的經過：

四時到大安醫院，對蔣氏遺骨拈香。唉！十年共事政治運動、社會運動之同志音容已眇（杳），悲莫甚焉，不禁為之慟哭。次會其妻石氏、妾陳氏、子松輝、弟渭川，述其患病則不時流淚，謂其將死，入臺北病院旬餘日，始發見為腸室扶斯。臨終之遺囑謂：「運動已入第三期，我舊同志皆趕不及，須緩（援）助共產諸青年之進出。」余一一唔之，然後取出奠儀與石氏，乃辭出到高義閣。

從以上描述看來，林獻堂與蔣渭水後來雖因政治理念與路線發生分歧，而漸

行漸遠，但蔣渭水的壯年病逝，仍帶給林獻堂相當大的震撼與不捨，畢竟他們曾一起共同為臺灣前途奔走，合作多年。

8月23日，臺灣各界人士在臺北永樂座舉行盛大的告別式，當天共計有五千多名民眾自發性前來參加喪禮，堪稱備極哀榮。林獻堂原本決定要去臺北參加告別式，但8月17日接到訃音，寫明是「大眾葬」(27)，他因而產生顧慮：「大眾者，無產大眾之謂也。自思尚有些少之財產，當不應參列其葬式，庶免被人非議。」加上他原本與臺中地區同志24人共同發起在臺中舉行開追悼會，因此最後決定不去臺北參加告別式。8月23日當天臺中舉行的追悼會，共有七十多人出席，日本官方如臨大敵，「警察正式臨監，輓聯皆命撤去；先於、得中、元煌追悼之辭皆被中止。」可見殖民者對臺灣人反抗運動的強力壓制，可謂變本加厲。

願與同胞齊奮起──林獻堂與賴和

賴和 (28)（1894年～1943年），彰化人，字懶雲，他畢業於臺北醫學校，他的社會身分是極有愛心的醫師，向來關懷窮苦弱勢者。而在臺灣文學史上，他更是一個閃耀的名字，他希望透過文學達到文化啟蒙的理想，不論新舊文學都極有成就，對文學也有強烈抱負。在政治運動領域，他是臺灣文化協會成員，曾因參與政治運動，成為殖民者眼中的問題人物，並兩度入獄。尤其在1941年12月7日，他未經審判、毫無說明，就被彰化警方二度拘捕入獄，後因病重出獄，1943年1

月 30 日去世，僅得年 50 歲。

他比林獻堂小 13 歲，論年齡與社會資歷都是林獻堂的晚輩。現存一張臺灣文化協會理事會在霧峰的合影，林獻堂、蔣渭水、王敏川等人坐在最前排正中央，神情肅然，而賴和則站在最後排角落、極不顯眼的位置。這固然是賴和個性較為低調謙和，但也反映他加入臺灣文化協會之初，他雖列名理事，並非核心要角。由於出身與思想的差異，他曾在作品中對霧峰林家有所批評，主因是地方豪族對佃農或弱勢者的苛刻待遇，讓他難以苟同。不過，在臺灣文化協會成立初期，他曾經對林獻堂為改善臺灣人待遇的努力表達相當高的敬重，賴和的舊詩作品有贈林獻堂的作品〈送林獻堂之東京〉三首，便是鮮明例證，內容如下：

不避辛勤走帝京，伊誰甘苦識平生。囂囂有口徒滋議，碌碌無能但吃驚。
壓迫自然能反動，艱難豈為慕虛榮。是非公理人心在，萬死猶當乞一生。

陸沉忽已遍神州，到處南冠泣楚囚。愧我戀生甘忍辱，多君先覺獨深憂。
破除階級思平等，掙脫強權始自由。欲替同胞謀幸福，也應悟到死方休。

十載聞名未識韓，春前一接酒杯歡。生才自古原非易，作事如公大覺難。
願與同胞齊奮起，悉教異族得相安。片帆好借神風送，穩渡波濤玄海灘。

這組作品是感佩林獻堂即將赴東京、領導臺灣文化協會為臺灣議會設置請願運動而奔走的送行之作。上面引述的詩句提到「是非公理人心在，萬死猶當乞一生」、「破除階級思平等，掙脫強權始自由」、「願與同胞齊奮起，悉教異族得相安」，都是著眼強調團結臺灣民心，齊力反抗殖民統治者的不合理壓迫，尋找臺灣人的出路。至於「不避辛勤走帝京，伊誰甘苦識平生」、「愧我戀生甘忍辱，多君先覺獨深憂」、「生才自古原非易，作事如公大覺難」等詩句，則是表達對林獻堂獻身民族運動的推崇與景仰。雖然出身與思想背景有所差異，賴和對林獻堂的獻身民族運動仍是心存敬意，並予以高度肯定。

賴和、陳虛谷、楊守愚、楊樹德等彰化地區的文學家，曾在 1939 年組織一個富有革新精神的傳統詩社「應社」，由於該社與櫟社成員多屬舊識，兩社精神相契，且地緣相近，因此常有互動。1941 年春天，櫟社兩位代表人物社長傅錫祺與林獻堂接受應社邀請，連袂到彰化參加該社的詩會。為此，賴和曾特別寫〈聞灌園老將蒞彰賦此寄意〉一詩表達歡迎：

一山猿鶴有歡聲，萬樹梅花破萼迎。雞黍已愆前日約，竹松猶是歲寒盟。
儘多翰墨煙霞侶，小遣風花雪月情。報道文旌將蒞止，滿天膏雨潤荒城。

這首詩發表在於 1941 年 1 月 16 日的《臺灣新民報》，題目中的「灌園老」，是對林獻堂的尊稱，「猿鶴」是詩人自比，「竹松猶是歲寒盟」是對兩社在殖民

統治下仍堅持氣節的隱喻。由此詩可看出櫟社與應社在文學精神的相互鼓舞。

根據林獻堂日記顯示，他與傅錫祺等人到彰化與應社詩友舉行詩會，是在 1941 年 6 月 12 日，林獻堂當天日記如下：

應社詩友屢次相招，午後二時半，天佑同往臺中，乘三時之汽車，鶴亭、垂勝亦同車。至彰化驛，楊樹德、楊木、楊子庚等出迎，同到体仁醫院，陳英方、吳薌秋、賴和、石錫勳相見甚喜。周定山、王義貞、郭克明、楊守愚、林金生、莊銘瑄、施江西、施炳揚、林糊等陸續而至。五時作擊鉢吟，第一題「茗談」庚韻，第二題「詩趣」侵韻，余各作二首。七時餘在露臺，細雨霏霏，共撮寫真。八時開宴，鶴亭、江西為「茗談」詞宗，余與定山為「詩趣」詞宗，因時間逼促，遂不及選。九時半散席即往驛頭，衡秋、笑儂、雪峰、逸南、石華俱來相送，鶴亭歸潭子，余與金生、天佑、銘瑄返霧峰。

這次集會的詩作後來陸續發表在《南方》雜誌，清楚顯示兩社的互動實況與作品精神的相契。其中第 135 期（昭和 16 年，1941 年 8 月 1 日）的應社小集記錄出席者包括應社社員九人，來賓為櫟社傅錫祺、林獻堂兩人，和鹿港詩人施梅樵、施一鳴等，共刊出應社社員以〈應社小集賦呈在座諸公〉為題的五、七言律

下頁圖：1941 年 林獻堂（左三）、傅錫祺（左四）參加應社小集的紀念合影。右邊圓圈處之照片為賴和，左邊圓圈處為陳虛谷。（林莊生／提供）

影撮念記

應社小

詩 12 首，賴和名列首位。而傅錫祺、林獻堂兩人各有 13 首次韻之作，回贈應社詩友與施梅樵。賴和〈應社小集賦呈席上諸公〉如下：

炎日燒天地亦焦，世人孱弱骨應銷。始憐望雨苗將槁，呼報涼風動柳條。
病熱枕冰神志爽，綠陰品茗渴塵銷。夜來燈燭渾無用，正有文星聚碧霄。

林獻堂〈次懶雲韻〉詩作如下：

爨下梧桐已半焦，何年重見甲兵銷。蝶棲叢桂空尋夢，蠶食柔桑欲盡條。
事到豈容三徑隱，憂來願借一丸消。人生歡會難常聚，把酒高樓望九霄。

賴和與林獻堂唱和的詩作，最大的意義是共同表達 1940 年代在日本殖民統治下，臺灣被迫捲入戰爭下的深沉苦悶與憂思，賴和以「炎日燒天地亦焦，世人孱弱骨應銷」的詩句，隱喻戰火鋪天蓋地而來。林獻堂則以「爨下梧桐已半焦，何年重見甲兵銷」，直接表達希望戰爭盡快結束。兩人作品氣息相通，也藉此相互鼓舞，隱忍對抗如此艱困而黑暗的時代。

賴和在 1941 年 12 月至 1942 年 2 月初被彰化警方監禁，出獄後身體日漸衰弱。1942 年 11 月 20 日，林獻堂利用到彰化參加活動的機會去探視賴和，林獻堂的日記中曾有簡單記載：「二時餘天佑同往觀賴和，他患心臟病頗劇，坐談七、八分

間。」

　　不幸的是，賴和兩個多月後病逝，時間是 1943 年 1 月 31 日。三天後，1943
年 2 月 2 日，林獻堂出席告別式，日記中僅以寥寥數語，敘述去彰化參加賴和告
別式的情形：「二時同乘資彬之車往彰化，對賴和告別式拈香，會虛谷、樹德、
得中外十餘名，五時餘返霧峰。」時隔兩個多月，4 月 11 日他又在日記中提到：「昨
晚作〈輓懶雲同志〉，今朝續成七律一首，即寄與鶴亭（傅錫祺）社長，請其斟
酌措辭，恐有未妥處。」他稱賴和為懶雲同志，可見他們的關係是建立在臺灣文
化協會的往日情誼，但比起兩人的共同朋友或晚輩如陳虛谷、葉榮鐘，林獻堂與
賴和的互動並不頻繁親密。

以詩相和的知己——林獻堂與陳虛谷

　　陳虛谷 (29)（1896 年～ 1965 年），本名滿盈，字虛谷，另有筆名：一村、依菊、
醉芬等，彰化和美人。1920 年前往日本留學，留日期間開始與林獻堂往來，1923
年畢業於明治大學政治經濟科專門部，後返臺加入臺灣文化協會。1930 年 3 月與
賴和等人共事於《臺灣新民報》學藝部。二次大戰結束後，曾先後短暫任職於和
美鎮農會及臺灣省通志館。1951 年腦中風導致半身不遂，於 1965 年病逝。

　　1920 年代，他曾是新文學的提倡者，並攻擊墮落的傳統詩人逢迎諂媚的歪
風，然而他的新文學作品並不多，留有數篇小說和新詩，但他最熱衷的仍是舊詩

的寫作。他曾拜林幼春為師，認真習作傳統舊詩。1939 年更與賴和、楊守愚等彰化文人成立古典詩社「應社」，致力提倡舊詩的改革。陳虛谷的作品目前搜集最完整的版本，是其子陳逸雄所編輯的《陳虛谷全集》上、下兩冊，於 1998 年由彰化縣立文化中心出版發行。

　　林獻堂與陳虛谷在日本期間往來密切，1939 年 2 月至 1941 年暑期，陳虛谷因攜子至日本讀書，參加林獻堂邀集留日臺灣詩友共組的「留東詩友會」，兩人往來更為頻繁，他更協助林獻堂將這些作品編為《海上唱和集》，於 1940 年 10 月出版。這本詩集中收錄兩人唱和之作不少，包括〈病中酬虛谷見贈〉、〈次虛谷原韻〉、〈次虛谷送別原韻〉等，其中較為「軟性」的主題，當屬〈依菊以贈芬芬詩數十首見示賦此慰之〉一詩：

寒宵淅瀝雨如絲，正是懷人腸斷時。未免有情難自遣，那堪長此苦相思。
青樓月照雙棲夜，紫帳花開並蒂枝。從古歡場俱是夢，莫因憔悴損英姿。

　　依菊是陳虛谷的一個特殊筆名，在 1939 年至 1940 年間，他曾為一位名為「芬芬」的歡場女子神魂顛倒，而寫了以〈恨〉為題的 27 首詩，極盡纏綿悱惻之能事。陳虛谷曾將這組詩作拿給林獻堂、葉榮鐘看，林獻堂以此詩作為回應。詩中林獻堂對陳虛谷為情所困似乎充滿同情與理解，前六句也流露出林獻堂少見的浪漫情調，不過他最後還是規勸陳虛谷：「從古歡場俱是夢，莫因憔悴損英姿。」及早

醒悟歡場如夢，切莫陷溺其中而難以自拔。

　　至於陳虛谷寫給林獻堂的詩作數量更多，不論是 1920 年代在日本留學時期，或是 1939 年參加林獻堂的留東詩友會時期，以及回臺灣後的戰爭時期，甚至戰後共同經歷二二八的傷痛，乃至陳虛谷晚年中風後，1956 年得知林獻堂最後病逝日本，陳虛谷都一再以詩寄情，留下數量極多的寄懷與悼念之作。以下透過兩人在戰爭時期的唱和作品，可以了解他們的情誼及共同關懷。陳虛谷〈懷灌園先生〉內容如下：

　　客秋一分手，至今猶未逢。高人懷抱近如何，時時想念不能忘。分明相違咫尺間，似隔海山幾萬重。迺悟人生多別離，古人所以興嘆出沒若參商。況當世界大動亂，戰塵天地飛濛濛。公正奔波為國憂，我方遭際艱難中。頻勞寄聲相慰問，意氣差免久頹唐。登高原，騁遠望，雲白山青認霧峰。野水縱橫亂入村，村前村後樹木鬱蒼蒼。有個紅顏白髮翁，逍遙吟詠自從容。使我撫然增嘆息，杖履不得相追從。回憶當年在帝京，看山看水有良朋。耳目所及多歡趣，襟懷各似玉壺冰。豪飲高樓縱談笑，快意渾忘世俗情。如今時異地亦殊，雖逢佳景少歡娛。秋月春花空自好，詩心一片日荒蕪。頗思投筆去從戎，但恨未遇黃石公。叱吒三軍既不能，據鞍顧盼空自雄。莫嗟老大未成名，且讀詩書過一生。時乖不遂飛騰志，慷慨吟公搏虎行。

1936年，陳虛谷（後排中立者）與朋友合影於彰化自宅。後排左一為賴和，前排左一為葉榮鐘，前排右一為莊垂勝。（林莊生／提供）

詩句相當淺白，卻散發著真摯的深情，先感嘆久違未能晤面，接著述說戰爭時期烽火連天、時局艱困的苦悶。然後從彰化和美村居想像住在霧峰的林獻堂，進而回想 1939 年至 1940 年間，兩人與朋友在東京時相過從出遊吟詩的愉快時光，最後仍是以戰爭時期空懷憂思卻無計可施收尾。本詩容易被忽略的一句是：「我方遭際艱難中」，如果不是題目之下作者自己加註「時小女因抗日被檢舉」，一般讀者難以了解他的正處艱難所指何事。而林獻堂的回贈之作〈和虛谷寄懷之作〉，登於 1942 年 5 月 15 日《南方》的「南方詩壇」欄，本詩內容是：

五旬苦熱天不雨，禾稻將枯藷欲死。陰風忽忽西北來，霡霂連朝真可喜。

此時得讀寄懷詩，年來樂事無逾此。詩中說盡相思意，此意我與君相似。

憶昔留東聚故知，花時無日不追隨。雪泥鴻爪多留跡，一醉都忘兩鬢絲。

也知萍蹤難久合，東西倏作重分離。只緣俗累未能免，鳥入樊籠空自悲。

正當東亞風雲急，遂以干戈換玉帛。無知女子縱奇談，致使傳聞誤黑白。

丁韻仙

陳虛谷的女兒丁韻仙，從小過繼給舅舅丁瑞圖。就讀彰化高女時，因抗日意識強烈，屢次與學校做對而遭監禁。被囚時與賴和比鄰，賴和的《獄中日記》多次提到她，甚關心其安危。

磺溪流水本來清，偶因驟雨渾光瑩。莫嘆波瀾重疊起，風恬始覺是多情。

與君苦吟常不斷，未敢人前談治亂。何時復作賞花遊，踏遍蓬萊看爛熳。

全詩從眼前之景寫起，天氣苦熱，農作枯乾，忽逢甘霖，接著筆鋒一轉，寫接到陳虛谷贈詩的欣喜，堪稱情景交融。隨後回應在東京的愉快時光，他也提及置身戰爭激烈的時代身不由己的悲哀。更值得注意的是以下詩句：「無知女子縱奇談，致使傳聞誤黑白。磺溪流水本來清，偶因驟雨渾光瑩。莫嘆波瀾重疊起，風恬始覺是多情。」表面是指責陳虛谷女兒丁韻仙因無知而惹禍，其實「磺溪流水本來清，偶因驟雨渾光瑩」是高明的隱喻，言外之意既是安慰陳虛谷，也是對丁韻仙的肯定。最後「與君苦吟常不斷，未敢人前談治亂」，則道出戰爭時期言論自由被統治當局掌控的無奈。

1949 年 9 月林獻堂坐飛機離開臺灣，生命的最後七年時光遠離家園，獨居日本的淒涼，思家卻難以歸家，老弱的病體經不起內心矛盾痛苦的一再煎熬，終於在 1956 年 9 月病逝日本。陳虛谷曾有詩描寫無法臨弔的悲哀，次年他又有〈追憶灌園〉一詩：

背井離鄉赴客程，暮年何事滯東京。早知今日成長別，悔不臨歧遠送行。

千里思君明月夜，數行悲淚故人情。舊時親友休相問，未忍淒涼話死生。

1960年代，陳虛谷與中部
文化人士合影。右二為陳
虛谷，右三為林培英；左
一為莊垂勝，左三為徐復
觀。（林莊生／提供）

寫此詩時，陳虛谷已因腦溢血中風數年，本身也已處於風燭殘年，「暮年何事滯東京」真有難以言宣之痛，而陳虛谷的疑問也正是林獻堂在臺親友的共同疑問，或許他並不是真的不知道答案，只是藉此表達內心深沉的悲哀。

情同父子的摯情──林獻堂與葉榮鐘

葉榮鐘 (30)（1900 年～ 1978 年），字少奇，鹿港人。入公學校前曾接受漢文教育，九歲喪父，家道因而中落。1918 年受霧峰林獻堂之資助，前往日本留學。1920 年秋季，參加林獻堂推動的議會設置請願運動，從此介入政治活動。1921 年返臺參與議會設置請願運動，擔任林獻堂通譯兼秘書。1927 年 8 月再度赴東京留學，入中央大學專門部經濟科。1930 年 3 月學成歸臺，擔任「臺灣地方自治聯盟」書記長。1931 年 4 月與施纖纖女士結婚，是年 12 月與黃春成、賴和、莊遂性等人合辦《南音》雜誌。1935 年擔任《臺灣新民報》通信部部長兼論說委員。其後曾被派任到東京、馬尼拉等地任職。戰後曾任「歡迎國民政府籌備會」總幹事，1946 年 8 月與林獻堂、陳逸松、陳炘等十多人參加丘念臺率領的「臺灣光復致敬團」赴中國訪問。1947 年二二八事件後，多位臺灣菁英份子罹難，葉榮鐘從原本服務的省立臺中圖書館被撤職，透過林獻堂的安排，轉入彰化銀行任職，從 1948 年一直到 1966 年退休為止。葉榮鐘晚年潛心寫作，著述極豐。生前著作，由其女葉芸芸結合學界力量，整理為「葉榮鐘全集」，2000 年 12 月由晨星出版社出版。

葉榮鐘。（葉蔚南／提供）

從上述經歷不難看出，他的一生可說與林獻堂密不可分。他在林獻堂去世後，為他編纂紀念集，並編輯年譜，其後陸續撰寫多篇懷念文章，其中最詳盡的是〈杖履追隨四十年〉，詳述兩人40年間的的互動及林獻堂對他的提攜，另有專文，分別談林獻堂、梁啟超及矢內原忠雄的往來。而葉榮鐘寫日治時期臺灣抗日運動史的力作《臺灣民族運動史》（2000年改回原名《日據下臺灣政治社會運動史》重新出版），更是以林獻堂所領導的抗日民族運動為全書敘述主線。

根據葉榮鐘自述，林獻堂對自己的提攜，始自1918年恩師施家本的介紹，林獻堂資助家道中落的他赴日本留學。1920年代追隨林獻堂為民族運動奔走，逐漸嶄露頭角，如1924年7月「無力者大會」在臺中盛大舉行時，他也與父執輩同時登場演說。他在1931年結婚後，曾借住霧峰林家一段時間。根據林獻堂夫人楊水心的描述，他知道林獻堂對葉榮鐘照顧有加，有一次林獻堂要去臺中訂製西裝，楊水心提醒葉榮鐘，跟著老先生去就對了，後來林獻堂果真吩咐師傅，也為葉榮鐘量身訂做一套西裝。當然葉榮鐘對林獻堂的感佩，不僅在於私恩，更是對其人格與氣度的折服。1942年3月，在林獻堂的主導下，葉榮鐘正式加入櫟社，成為第二大社員，他的漢詩作品在1978年去世後，由子女整理為《少奇吟草》出版。

《少奇吟草》一書所收作品，與林獻堂直接相關者，從1937年的〈雨夜奉寄灌園先生〉，到1961年的〈灌公年譜編成感作〉，多達三十餘首，兩人情誼之深可見一斑。其中〈灌公年譜編成感作〉四首，一方面最足以反映葉榮鐘對林獻堂一生的崇高敬意，一方面也生動呈現出兩人情同父子的特殊情誼，格外耐人尋

味。以下選錄這組作品頭尾兩首，略作分析：

功業寧須記，三臺盡口碑。滄桑資閱歷，憂患是生涯。

孽子孤臣恨，池魚檻虎悲。書成長太息，庸筆負深期。

（其一）

群倫推領袖，本色是書生。重厚根天性，寬仁出至誠。

高飛緣底事，客死最傷情。深意吾能識，臨終喚小名。

（其四）

林獻堂於 1956 年病逝日本，由葉榮鐘主編的《林獻堂先生紀念集》於 1960 年完成，全書共包括《追思錄》、《遺著》、《年譜》三冊。《追思錄》包括各界人士的紀念文章，《遺著》收錄林獻堂所著的《環球遊記》、《詩集》，而《年譜》則由葉榮鐘一手完成。不論是要研究林獻堂個人或臺灣近代史，這套書都是不容忽視的珍貴史料。

對葉榮鐘而言，《年譜》的完成，是他為林獻堂尋求歷史定位責無旁貸的努力，本組詩作進而抒發他完成此一著作之後的感懷。第一首起筆兩句，以「三臺盡口碑」為林獻堂蓋棺論定，言其對臺灣之貢獻早為臺人所公認。三、四句，所謂「滄桑」、「憂患」其實是概括林獻堂自年少遭逢乙未之變，中年致力文化抗

日，至晚年自我放逐於日本的一生。「資閱歷」、「是生涯」二語，既是讚嘆，也是感慨，意味深長。五、六句語氣極為沉痛，「孽子孤臣恨」是指其大半生處在日本統治下，卻始終不改漢族立場的身分認同。「池魚檻虎悲」則是指戰後自二二八事件至國共內戰之動亂時局，使得包括林獻堂在內的臺灣菁英飽受迫害摧殘，暗指戰後的國民政府政權有如「檻虎」，雖被關在籠中卻依然兇暴，而臺灣人卻飽受池魚之殃，哀哀無告。尤其林獻堂晚年以治病為由遠遁日本，其內心之深悲，葉榮鐘知之甚詳，故末二句以「書成長太息，庸筆負深期」收尾，作者悲嘆之聲，久久迴盪不去。

第四首仍是先讚揚林獻堂的個性，寬厚而至仁的書生本色，具備領袖氣質。後半首則轉而對林獻堂的淒涼晚景深感不平。林獻堂於 1949 年 9 月以 69 歲之高齡自我放逐於日本，至 1956 年 9 月病逝為止，終生未再回臺灣。「高飛緣底事，客死最傷情。」問句的背後，真有無窮的哀痛——究竟是什麼因素，讓這位日治時期著名的民族運動領袖，一定要在臺灣回歸「祖國」之後，非得遠離摯愛的家鄉不可，最終卻落得客死異鄉的下場？據葉榮鐘回憶，他最後一次探望林獻堂，是在 1952 年 5 月 25 日，曾相處十天，至 7 月 2 日葉榮鐘將離日返臺，林獻堂曾親自坐三個半小時的火車來東京送行。在同住同遊的十天當中，林獻堂對他關懷有加，並曾有〈壬辰五月下旬大仁別莊喜少奇過訪〉一詩相贈，詩中充滿久別重逢的感慨與有家歸不得的無奈。「深意吾能識，臨終喚小名。」結尾兩句，字句雖淺白，卻將兩人情同父子、相知甚深的特殊關係，作了十分生動而感人的描述。

葉榮鐘一生受林獻堂影響極深，兩人
情同父子，交往深刻。葉榮鐘晚年曾
重遊霧峰林家，重溫與林獻堂相處的
往事。（葉蔚南／提供）

第五章

林獻堂的休閒娛樂

林獻堂個性嚴肅而穩重，不過如果換一個角度近距離觀察，我們會發現其實他還是個樂於嘗試新事物、興趣廣泛的紳士。

本章將透過林獻堂日常生活中的休閒娛樂，來認識一個更活潑、更立體鮮活的林獻堂。根據臺灣新民報社編的《臺灣人士鑑》記載，林獻堂自己認可的休閒興趣是旅行、登山、象棋、圍棋、音樂。不過，從他的日記與詩文資料判斷，在他的日常生活中最常見的休閒，應該是泡溫泉、看電影。另外，他晚年蟄居日本，身體日益衰弱，因而喜歡在家裡看電視，時間點比臺灣本地的電視開播早了八年。

以下分別針對這三項休閒娛樂：關子嶺泡溫泉、看電影與電視，觀察林獻堂生活中生動的側面。

最愛關子嶺度假──泡溫泉

日常生活中的林獻堂，總是有見不完的訪客及處理不完的大小事務，涵蓋政治與社會運動領域、商業經濟領域、文化藝術領域、地方事務，還有家族內部的紛爭等等，不一而足。而忙碌之餘，他總會抽出幾日空閒安排個人或家庭旅遊。最喜歡的就屬臺南關子嶺 [31] 的溫泉之旅，以他去度假次數的頻繁以及日記中詳細的描寫，可說是關子嶺溫泉的最佳代言人。

臺灣人泡溫泉的風氣是日治時期才逐漸發展開來的。日本統治臺灣的第二年，就有日本人平田源吾在北投蓋了第一家溫泉旅社，名為「天狗庵」，其後各

日治時期的關子嶺溫泉區，與北投、草山、四重溪等地齊名，號稱臺灣四大溫泉。

地陸續有更多溫泉被探勘挖掘，其中北投、草山、關子嶺、四重溪等地的溫泉號稱臺灣四大溫泉，而關子嶺溫泉因為屬於泥漿溫泉，被認為特具醫療功效。據說1923 年 12 月 16 日治警事件發生時，林獻堂由於正在關子嶺泡溫泉而倖免於難。

　　他的日記中常有到關子嶺泡溫泉的記事。扣除 1928 年的日記已佚失，不得而知，單以 1927 年至 1935 年的日記來看，顯示他每年一定會抽出時間到關子嶺泡溫泉，有時甚至一年兩次，每次去短則 2 至 3 天，多數是 5 至 8 天，甚至也有長達 14天。到關子嶺泡溫泉對他而言，既可鬆弛身心、治療疾病、登山健行，又可避開塵囂、閱讀寫作，進而思考人生方向。

1927 年林獻堂（右三）至關子嶺泡溫泉合影。（明台高中／提供）

他最常住宿的旅館是洗心館，由於光臨次數頻繁，他與老闆非常熟，甚至還勸老闆夫妻不要因細故爭吵，要好好經營。他到關子嶺度假的例行安排，除了泡溫泉，還包括登山、散步、請專人按摩，更特別的是，還曾在這裡舉辦象棋評定賽事。

1929 年 5 月 22 日至 31 日，也是環球旅遊回來後的隔年，他帶夫人楊水心、女兒林關關，以及秘書溫成龍一起去關子嶺，前後將近十天。這次假期，除了泡溫泉之餘，還能隨性自在地讀書、訪友、寫《環球遊記》的連載文章。以 5 月 26 日當天日記為例，他在這裡碰到文化協會的臺南人同志盧丙丁，為治療癬疾來泡溫泉，且同樣住在洗心館，於是邀他一起登山（隨後數日，他也都邀盧丙丁一起登山）。晚上他還讀莫泊三（今譯「莫泊桑」）小說二篇，寫〈封騰布羅故宮遊記〉三百餘字（此篇遊記，前後用了五天才寫完），「封騰布羅」現在通常譯為「楓丹白露」。這篇遊記隨後刊登於 1929 年 6 月 9 日、16 日的《臺灣民報》，可見擺脫俗務，他才能靜下心來閱讀、寫作。

更有意思的是，他當天日記還留下一段自省文字：

昨日將至店仔口，看見播稻，因今年苦旱，無水可以播種，是以遲至今日，將來收穫能得幾何？余感悟余今年四十九歲矣，方思勉強讀書，是無異於今日播稻，然勿因過時，而將來收穫較少遂作罷了。

「店仔口」是臺南白河的舊名，他從播稻苦旱，領悟到自己 49 歲才發憤讀書，

與此無異，雖然可能因起步晚而收穫少，但也不能因此而放棄，仍需奮力自勉，可見其自律謹嚴的性格。

1930 年 11 月 7 日至 14 日，他在關子嶺度假八天。比較值得一提的是，這次住宿期間，洗心館老闆吳江漢夫婦吵架，甚至大打出手，他特別邀老闆陪他登山散步，力勸他們夫妻應同心，勿損及事業經營。晚上老闆娘來找他道歉順便訴苦，他又再度力勸其夫妻同心經營事業。

1931 年 10 月的關子嶺假期，他則特別關注國際局勢的發展，包括國際聯盟理事會邀請美國參加，日本反對，投票後除日本之外，絕大多數會員國皆同意而通過。後來日本揚言退出國際聯盟，他進而思考：「未知日本國民有此決心否？如果脫退，日本孤立之勢已成矣，中國定必愈持強硬，不肯相下，滿蒙問題非以戰爭不能解決也。軍部以國家為孤注，亦可謂險矣。」對日本軍部之氣勢日漸猖狂，深深不以為然，他更擔心爆發戰爭，東亞局勢勢必更加混亂，臺灣也難置身事外。

1932 這一年，他曾兩度前往關子嶺度假。第一次是 5 月 22 日至 30 日，為期八天，這幾天他暫時放下繁雜的俗務，整天就是泡溫泉、下棋、按摩、讀書、閱報，沉澱身心，好不悠哉，這可以說是一年一度的「特休」。9 月 21 日至 10 月 7 日，他二度前往關子嶺度假，這次假期洗心館老闆娘告訴他一個壞消息，老闆好嫖賭，已簽約將旅館賣給日本人，下月即將轉手易主，老闆娘打算與丈夫離婚，可惜他力勸無效。不過更值得關注的是，他利用這段假期，在 10 月 4 日、5 日召集各方高手，在此舉行象棋段級評定賽事，顯示他對下象棋的熱衷與提倡。

1940 年 2 月，他與陳炘各自帶領家人到關子嶺度假，極少寫詩的金融家陳炘放鬆心靈之餘，一時詩興大發，而林獻堂也跟著唱和道：

乘興南遊日，青春雨乍晴。山川如有待，兒女喜偕行。
神火冥冥耀，靈泉混混清。詩成憑檻立，不復計歸程。

前四句流露出春日雨後初情，帶家人旅遊的愉悅心境。第五、六句是描寫著名的「水火同源」奇景，最後兩句是刻劃陶醉關子嶺美景中，憑欄凝思、樂不思蜀的心情。接著他以更直白的詩句「溫泉浴罷共尋幽，隨唱夫妻不易求。似此人生行樂事，真教歲月去如流。」描述內心「歲月匆匆，歡樂難得」的感悟。而深夜時分，萬籟俱寂，他更領悟到自然給予人類的無言啟示：

明月團圓夜色幽，鴛鴦睡穩復何求。空山萬籟聲皆寂，惟有清溪汩汩流。

明月團圓、鴛鴦睡穩，人生汲汲營營，所為何來？空山寂寂，清溪汩汩，自然是所有人的無盡藏，端看人類能從中領悟到什麼。

綜合觀察，林獻堂每年必到關子嶺度假，對他而言，是尋求身心靈放鬆的最佳寶地。他在這裡與外界保持適當距離，既能避開世俗煩囂與紛雜的人事，而且安心泡湯治病之餘，還可以登山、晤友、思考、閱讀、寫作，在沉澱思緒、適當

休息之後，整裝再出發，真是優游自在，得其所哉。

終生不渝的休閒活動——看電影

如果要問林獻堂終生都沒改變的最大興趣是什麼，除了作詩之外，應該就是看電影了。作詩既是生命情志的寄託，背後還有對漢文化的堅持與使命感，且須認真構思、修改，可說是極為莊嚴的心智活動，並不輕鬆。相對之下，看電影作為一項休閒娛樂活動，林獻堂向來樂此不疲，終生不渝。

根據電影學者李道明的研究，1895 年 12 月，由法國的盧米埃兄弟在巴黎咖啡廳公開售票放映十部影片，標示著人類的電影時代來臨。他們所訓練的放映師與攝影師將電影帶到世界各地，使電影在短短一年內就傳遍歐、美、亞、澳各洲。臺灣在日本殖民下，日本人高松豐治郎於 1908 年定居臺灣，開始在臺灣北、中、南七大都會建戲院放映電影，並與日本及歐美的電影公司簽約，建立制度化的電影發行放映制度。1917 年高松豐治郎離臺時，臺灣各地的戲院只有三、四家。由於當時的電影都是無聲的默片，由專門解說劇情的「辯士」負責解說。1924 年以後，臺北的戲院業者請來日本一流的辯士，帶動電影放映業的蓬勃發展。

林獻堂本人對電影並不陌生，1925 年任臺灣文化協會專務理事的同志蔡培火，從東京購買教育影片十數卷及美國製放映機一部，成立「美臺團」，訓練青年志士專管機器、說明影片，並於全臺巡迴放映電影，以傳播新知識，發揮電影

1943年的臺灣報紙刊登臺中地區的戲院廣告。（林良哲／提供）

對大眾的教育功能，放映片名包括：《無人島探》、《試探愛情》、《母與其子》、《武勇》、《北極的怪獸》、《北極動物之生態》、《北極探險》、《母子愛情》、《丹麥之農耕情況》、《丹麥之合作事業》、《犬馬救主》、《紅的十字架》等。郭戊己、盧丙丁、陳新春、鐘自遠、林秋梧等人是當時主要的辯士，他們常藉機宣揚反抗殖民統治的理念，曾引起相當大的宣傳效果。林獻堂日記中曾記載，1927年1月4日文化協會在臺中召開總會的次日，蔡培火帶領上述幾位辯士來臺中，與林獻堂、林幼春會面，並合影紀念。

不過除了宣傳與增長知識，看電影更普遍的功能應該是休閒娛樂。林獻堂在處理忙碌的公務之後，總是設法抽空去看場電影，次數非常頻繁，從默片看到有聲電影、立體電影，從日治時期看到晚年，可說是他終生熱愛的休閒活動。單以日記記載的，包括 1927 年在歐美旅遊，到 1955 年晚年寓居日本、臨終的前一年為止，他看電影的經歷至少延續了 28 年。地點從臺灣到日本，甚至遠到歐洲，只要有機會看電影，他總不放過，可說是走到哪裡，電影就看到哪裡。

根據林獻堂長孫林博正的回憶，他的祖母楊水心也熱愛看電影，而且特別鍾愛西片，但因為經常趕不上字幕的速度，需由陪同者解釋內容，也常會吵到左右

林獻堂的夫人楊水心也熱愛看電影。（明台高中／提供）

的觀眾，頻頻遭到怨言。至於林獻堂，平時若在霧峰家中，常帶著妻子兒女一群人浩浩蕩蕩到臺中市區看電影。而 1927 年 5 月他展開環球旅遊，在西方旅行時曾看了不少電影，如這一年在倫敦，從 6 月底到 8 月至少看了六場電影。其中 7 月 17 日，他所看的電影片名是《賓漢》，日記中並留下簡單感想：「其中所演自耶穌降生至釘十字架，頗能動人。」

1929 年 3 月 10 日、11 日、26 日的日記，分別有在東京的邦樂座、電氣館、武

藏野館看電影的記載。電氣館在東京淺草區，是明治時代就開業的老牌電影院，一直到 1929 年代才結束營業，武藏野館則是位在東京新宿區的老字號戲院，可惜他並未記載所看的電影片名，無法知道他看的是日本片還是西洋片。1929 年 4 月中旬回臺灣之後，4 月 30 日在霧峰戲園看《孔夫子》。5 月 15 日晚上，他與妻子楊水心到霧峰戲園看《空谷蘭》，這是 1925 年出品的中國愛情片，由張石川導演，包天笑編劇，取材自日本小說《野玫瑰》，後來因大受歡迎曾多次重拍。5 月 24 日，他與妻子、女兒林關關看電影《紅樓夢》。8 月 2 日晚上，與妻子、兒女多人一起看《白雲塔》，該片是 1928 年出品的中國電影，導演是張石川、鄭正秋，著名演員阮玲玉、胡蝶主演。上述四部影片，都是屬於中國的近代電影。

另有一個訊息是 1929 年 5 月 10 日文化協會成員郭茂己來拜訪林獻堂，商量說他的活動

1935 年 10 月 6 日，霧峰戲園落成合影。林獻堂也曾在此欣賞多部電影。（郭双富／提供）

寫真班要到霧峰演映三天，請林獻堂加以援助，他答應了，可見他對電影活動相當支持。根據 5 月 14 日的日記，可知這個放映班「旭瀛社活動寫真班」，當天共有郭戊己、周天啟等七人，與恰好同日來訪的楊肇嘉、羅萬俥兩人一起接受林獻堂的晚宴招待。不過隔天下午，張芳洲（張秀光）來遊說林獻堂擔任發起人，支持他準備籌組的影片公司，周天啟在旁加入遊說行列，林獻堂卻回答說他無法擔任發起人，僅答應可考慮出資。

再以 1931 年為例，從日記的資料觀察，本年中他與家人在霧峰及臺中市區看電影也非常頻繁，去過的戲院包括樂舞臺、臺中座、大正館、霧峰戲院等。至於有記錄電影片名的，包括《木蘭從軍》、《野草閒花》、《桃花湖》等，這些也都是中國電影。比較有趣的是，7 月 12 日、14 日他兩度邀集親友多人，去樂舞臺戲院

張秀光

引述郭啟傳撰稿《臺灣人物小傳》內容如下：張秀光，臺灣南投人。1923 年夏到中國，進入上海「明星公司」，學習編導技術。三年後，攜帶《孤兒救祖記》、《探親家》、《殖邊外史》等片回臺，後來組成「新人映畫俱樂部」，開始巡映事業，而且所到之處帶來轟動，因此被稱為臺灣電影事業的開山祖師。1928 年美國饒伯森博士在上海試映有聲電影，造成轟動，日本也在進行，張秀光決定前往日本考察，頗有心得後，他趕到上海向「明星」等公司獻策，未受採納。回到臺灣，仍無法實現其有聲電影的夢想，三度到上海發展，此時上海電影已經人才濟濟。戰後回到臺灣，計畫組織「臺灣電影促進會」，擬拍有關臺灣的電影，籌備過程中病逝。

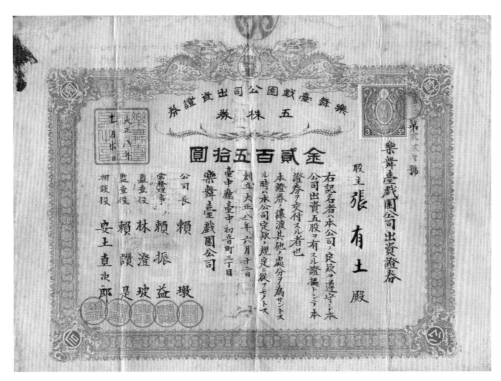

1919 年發行的臺中樂舞臺戲園股票。（林良哲／提供）

看《野草閒花》。《臺灣新民報》曾事先前宣傳本片是會發聲的影片，結果該片只是播放時以留聲機放出聲音，並非真正的有聲電影，因而引發觀眾強烈的不滿。

　　再看 1934 年他觀賞電影的記事，他常帶家人從霧峰到臺中市區的「娛樂館」看電影，次數非常頻繁。有時候「一新會」辦慶祝活動後，也會在大花廳放電影。5 月 29 日他去臺北開會，30 日起在北投住宿四夜，31 日曾與兩位日本女性友人專程到萬華新世界館看《丹下左膳》[32]，這是日本著名的劍客電影，根據非常受

臺灣新民報

週刊
每土曜日發行

中國最高級人氣藝術益世電影映畫
臺北華光影片公司輸入最初公映（日新町一二三四）

後援　臺灣新民報社

請新民報讀者大家利用慰安優待券!!

諸君!!
寧可錯過一百套佳片，不可遮過這三套益世社會巨片。
又是打倒非藝術無有益世的迷信劣片之先聲。
良機莫逸、務廣眼福、以資知識。日期、場所統祈參照新民報

●故都春夢
北京黑暗時代之燃犀錄
中國家庭生活之照妖鏡
主演　阮玲玉、林楚楚、王瑞麟
特別出演　梅蘭芳
編劇及監製　羅明佑　導演　孫瑜

背景
故宮古跡、可不寶識。
梅君情……
駱女慧珠　白殺殉情
宜傳浪江　艷死留影
穿雪界大王　梛世無雙
北平風光、雪
北平名勝

攝影精妙、光線玲瓏
空前未有、國片之雄。

●野草閒花
揭上海神祕社會之黑幕。
中片復興運動中之鐵軍。
中國電影光榮史之首頁。
開國產有聲影片之先河。

旨
本片之監製導演、為增加其藝術之價值
計、特將全片試行配音。斯開國產之新紀元、
題歌由阮玲玉及金燄親自主唱、悲哀
動話、綿綿三日。

寫真愛情
改造家庭
景　海上繁華、火樹銀花、
歌　萬里蔣兄、亦悲亦雄、
插舞臺美　有色有聲。

●盜窟奇緣
情節之生動。表演之深刻。
武術之驚人。寓意之高尚。
光怪陸離的盜窟。
曲折森嚴！
精奇奧妙的奸計！
目裂髮指！？

有富麗堂皇的盜窟！
有美女為賊的奇冤！
有慘不忍視的刺開！
有殺人不關眼的賊兵！
國產武俠片頗多、散漫而不精緊、較
此片之能使人吸呼寫之屏促者相去不
可以道里計焉。

發行編輯印刷人　林煥淸
臺北市下奎府町一丁目一五〇番地
發行所　株式會社臺灣新民報社
臺灣新民報社

支局
新竹市　中藔
台中市
彰化市南郭
鹽埕
京町

1931年6月6日，《臺灣新民報》刊登中國電影的放映廣告，其中一部是林獻堂曾觀賞的《野草閒花》。（林良哲／提供）

歡迎的報紙連載小說改編,在日本放映時非常轟動。另外,7月20日原訂總督約見,因臨時延期,他就改去臺北世界館看電影消遣。更有趣的是11月17日,有三位日本女性專程來推銷娛樂館的電影票,一張70錢,林獻堂一口氣就買了50張,顯見他對看電影多麼熱中。

1935年1月15日,他帶家人到臺中娛樂館看的是《泰山復仇記》,應該是

臺中娛樂館外觀。(林良哲/提供)

左頁圖、上圖：臺中娛樂館播映的日本電影廣告。（林良哲／提供）

西洋片。2 月 27 日，在霧峰戲園看《野玫瑰》[33]，是 1932 年中國上海拍攝的無聲電影，孫瑜導演，王人美、金焰主演。4 月 4 日，他的兒子林攀龍與曾珠如結婚，他招待一新會會員五百多人、一新義塾學生一百多人、連同親友及家中傭人兩百多人，在霧峰戲院觀看日高跳舞團表演並欣賞電影，表演及電影放映結束後，林攀龍、曾珠如這對新婚夫妻出面敘禮，當晚盛況是戲院裡幾無立錐之地，熱鬧場面一直到晚上 11 點半才散會。

1936 年以後，他的表弟吳子瑜以鉅資創設的「天外天劇場」正式開幕，從 1937 年的日記可知，他也常與親友去這家嶄新而壯觀的戲院看電影。同一年，他又在日本東京的幾家電影院，分別看了《大帝密使》、《珍珠與未亡人》、《大

地》、德國間諜片等。1938年日記曾記載看過電影片名的是：11月17日在新宿東寶映畫館看中國影片《茶花女》及《踊ル騎士》。

戰後，林獻堂在晚年留日期間仍然喜歡看電影，根據「留東詩友會」女性詩友黃桂華的回憶，林獻堂當時常邀請她一起去欣賞電影：

我和獻堂先生結識後，他和我很談得來，我本來就善於言談，不論老幼皆有辦法，獻堂先生愛看電影，但內容則因語言的問題不甚了解，因此他常找我陪他去看電影，以便我可以在旁幫他解說。

從這段話可以看出兩人交情匪淺，除了談論時事及詩文交流外，兩人經常相約觀賞電影，1950年9月14日的林獻堂日記記載：

余乘一時半之電車抵新橋，瑞池來迎，同至永樂町。桂華如約而至，同看《情婦マノン》（日記註：Manon），電影甚佳，余幾下淚，乘五時餘之電車還。

這部電影《情婦マノン》，即1949年推出的法國電影《情婦瑪儂》，由Henri-Georges Clouzot（Henri-Georges Clouzot）導演，曾獲得金獅獎榮譽。故事背景是二次大戰後的法國，一個革命鬥士與妓女之間曲折離奇、歷盡多重考驗的愛

右頁圖：天外天劇場宣傳歌劇團表演的廣告單。（林良哲／提供）

情故事，男女主角最後雙雙命喪沙漠，以悲劇收尾。由於戲劇張力極強，難怪林獻堂看了也幾乎要流下兩行熱淚。

1955 年 1 月 5 日，他以極為讚嘆的口吻，記錄與駐日大使董顯光等一行人，在東京帝國劇場觀賞美國新發明的立體電影的全新經驗。本片是 1952 年美國製作的立體電影，拍攝時以三部攝影機同步拍攝，以取得立體感，放映時同樣以三部放映機從三個不同方位投射在銀幕上，觀眾須配戴偏光眼鏡觀賞。當時這部電影僅在日本東京、大阪兩地放映，他在日記如此描述：「規模之大、聲音之高，是所未曾見，全劇場如乘火車、如乘飛機，使觀眾為之頭眩，真不能以筆墨形容也。」

同年 1 月 8 日，他又陪友人到新宿看美國電影，片名《七兄弟掠奪女子為妻》，本片他先前已經在日比谷映畫館（即戲院）看過，這次是為了招待親友而二度觀賞。1 月 16 日，又招待友人看 1954 年製作的美國電影《折槍》，是以美國南部為背景的電影。1 月 24 日到有樂座看電影，也是美國片，內容是埃及第 17 王朝的宮廷故事。1 月 29 日到新宿劇場看《異教徒之旗印》，內容是以西元 450 年東羅馬帝國為題材的美國電影。單單是這個月，他就看了四部電影。10 月 13 日，林獻堂約了兩對友人夫婦到新宿劇場看電影，片名是《四十女強盜》，他覺得很有趣，而這也是林獻堂晚年日記中最後一次看電影的記載。

綜合觀察林獻堂的看電影經歷，至少包括中國、法國、美國、日本電影，題材則涵蓋賓漢、泰山復仇、日本劍客、古羅馬帝國、德國間諜、法國革命、中國古裝與現代浪漫曲折的愛情電影，從黑白默片看到極具聲光效果的美國立體電

影，幾乎見證了近現代電影的發展史。從電影類型來看，他興趣廣泛，並不挑食。只可惜他的記載太過簡略，很少詳細描述電影內容或觀影感想。但可以確定的是，他對電影的熱愛，終生不曾改變。

與日本影星李香蘭的一段緣

李香蘭 (34)（1920 年～ 2014 年）是東亞近代史上極負盛名的傳奇明星，原名山口淑子，是不折不扣的日本人，但特殊的成長經歷加上刻意隱瞞，常讓人誤以為她是中國人。1920 年她誕生在中國東北，1933 年被瀋陽銀行經理李際春將軍收為義女，1937 年畢業於北京翊教女學院，1938 年入滿洲映畫協會，以中國女優李香蘭的名義出道。18 歲去日本發展，不久成為「日滿親善」的象徵，在東寶、松竹的電影演出。由於她出生、成長於中國東北，又在中國受教育，能說一口非常標準的京片子，加上從不公開自己的身世，所以當時的中國人都不知她的日本血統，而誤以為她是道地的北京人。

李香蘭天生麗質，很有演藝天賦，早年受過正式的西洋聲樂教育，22 歲到上海拍電影、唱歌，兩年後以一曲〈夜來香〉(35) 而走紅歌壇，成為家喻戶曉的流行歌星。李香蘭還演唱過〈何日君再來〉、〈恨不相逢未嫁時〉(36) 等名曲，成為與周璇、白光等人齊名的上海灘「七大歌后」之一。

1941 年 1 月，李香蘭至臺灣巡迴公演，掀起臺灣史無前例的追星浪潮。她在

臺北市西門町「大世界館」公演五天，場場客滿。觀眾見戲館人員拉起鐵門，一擁而上發生推擠，一切的騷動都是為了看李香蘭在電影中場的 30 分鐘演出。1943年，李香蘭再度來臺灣拍攝電影《沙韻之鐘》[37]，又掀起熱潮。

當時李香蘭在臺灣的眾多影迷當中，林獻堂應該算是擁有高知名度的頭號「粉絲」。早在 1938 年 10 月 21 日，林獻堂就在東京的日本劇場看過李香蘭參與演出的《西遊記》。1941 年 1 月李香蘭來臺，1 月 15 日林獻堂在臺北出席了臺灣新民報社招待李香蘭等滿映人員的宴會，並合影留念。兩天後，1 月 17 日李香蘭一行人南下，恰好又與林獻堂搭同一班火車，林獻堂在日記中寫下臺灣民眾爭看明星的盛況：

至臺中驛，有千數百人待看李香蘭，擁塞幾無立錐之地。余待自動車時遇盧安，彼言有水裏坑人託其買臺中座之入場券，觀美人之心可謂盛矣。

從這段簡短記載，不難看出李香蘭當時在臺灣人氣之高，所到之處無不轟動，受到熱烈歡迎的程度，比起當代任何明星毫不遜色。隔天 1 月 18 日，該電影公

沙韻之鐘

這部片子是戰爭時期日本官方刻意改造而美化的政策電影，故事主軸是一位山地少女送日本籍教師從軍而不慎失足溺水，以浪漫愛情加以包裝，以宣揚擁護國策的愛國精神。

司帶隊的本村竹壽邀請林獻堂引導，前往臺中陸軍醫院勞軍，其用意是希望林獻堂出賞金給樂隊。林獻堂日記有如下記載：

十一時五十分余與她（李香蘭）姊妹同車，猶龍、友芬亦同乘往陸軍病院，院長中佐倉島松一郎為余介紹傷兵百數十名。十二時十五分開演，指揮者宮川，先奏樂，繼唱歌，李香蘭唱二回，近一時閉會，又撮紀念寫真。她等往臺中座開演，余與猶龍、友芬到新民報社支局少憩，乃同到午餐。後使猶龍持百五十円交本村以賞樂隊，又贈李香蘭銀竹蔑一個。香蘭六時半來霧峰，五弟、內子、猶龍、瑞騰、根生、梅子出為招呼，夜餐乃去。

一起到醫院勞軍，又到臺中座觀賞李香蘭的演出，一起午餐、贈賞金給樂隊、送小禮物給李香蘭。當天晚上，李香蘭一行人特別到霧峰拜會，並接受林獻堂的晚宴招待，目的應該是為了答謝林獻堂的盛情，做足面子給他。

這次經驗，讓林獻堂念念不忘，幾天後他特別寫了一組詩，1 月 24 日的日記說是「雨中無聊，作〈李香蘭〉七絕四首」，不過現存這組作品共計八首，可能是後來意猶未盡而續寫四首。內容如下：

曾聽蘇州夜曲歌，餘音似訴舊山河。都門此夕人如海，獨對秋風感慨多。

蓬萊閣上喜重逢，談笑毫無芥蒂胸。連日春風歌舞倦，嬌姿不改舊時容。

百張玉照署芳名，鐵筆如飛頃刻成。門外香車臨就道，滿樓爭出送傾城。

纔竟晨粧臉似霞，南行且喜又同車。驛亭圍繞三千眾，為看扶桑解語花。

翌朝如約來相訪，延客依然著寢衣。坐向粧臺掃眉黛，纖纖似見遠山微。

率君軍院慰傷痍，將士聞歌欲忘疲。顧盼曲終微一笑，掌聲雷動下臺遲。

香車遠訪霧峰莊，綠水青山引興長。地僻盤餐無異味，惟將粗糲詫柔腸。

行程有定勢難留，銀筏聊將贈此遊。他日重來堅後約，一帆無恙到瀛州。

　　這一年李香蘭剛滿 21 歲，堪稱芳華正茂，豔光四射。一向立身謹嚴，年屆
耳順（60 歲）的林獻堂，也毫不掩飾他對李香蘭的傾倒，這組詩作正清楚刻畫了
當時這位超級粉絲對偶像的深深著迷。從第一次聽李香蘭唱歌寫起，在臺北參加
歡迎晚宴，替眾多影迷快速完成簽名照，觀者如堵，同車南下，臺中火車站人山
人海。接著寫一起到醫院勞軍，聽李香蘭現場演唱，事後一行人到霧峰回訪答謝，

他依依不捨，以禮物相贈，並希望李香蘭有機會再來臺灣。詩中有些句子：「連日春風歌舞倦，嬌姿不改舊時容」、「纔竟晨粧臉似霞」、「坐向粧臺掃眉黛，纖纖似見遠山微」描寫李香蘭的美麗容貌與姿態，刻畫入微，頗有香豔色彩。而「門外香車臨就道，滿樓爭出送傾城」、「驛亭圍繞三千眾，為看扶桑解語花」、「顧盼曲終微一笑，掌聲雷動下臺遲」等詩句，則是寫出李香蘭深受歡迎的盛況空前。

不過當 1943 年李香蘭來臺拍攝《沙韻之鐘》時，應該是行程緊湊忙碌，林獻堂並沒有機會與李香蘭再度碰面。林獻堂最後一次見到李香蘭本人，應該是戰後的 1949 年 12 月 21 日，他在日本參觀松竹電影公司的拍攝現場，恰好又看到李香蘭正在拍片，事後他寫了一首長詩〈觀大船松竹攝影所〉，顯然晚年的心境與當年看到偶像的激情大不相同：

世間都是幻，認幻以為真。爭名與求利，徒勞日苦辛。

試看攝影所，略可識前因。樓臺多是假，帷帳亦虛陳。

斷片徐連絡，長短任縮伸。他日銀幕開，燦爛望無垠。

時攝李香蘭，妝束頗輕勻。無人與談話，忽笑又忽顰。

問所表何意，初戀欲求親。另攝一青年，並坐語津津。

世事皆如是，何用患此身。若能悟真幻，苦海不沉淪。

佛言色是空，妙諦實無倫。

從 1941 年當面接觸的傾倒，到 1949 年底「世間都是幻」、「若能悟真幻，苦海不沉淪」的領悟，林獻堂已經歷了激烈的世局震盪，從 1945 年 8 月二次大戰結束，日本退出臺灣，到國民政府來臺不久，1947 年爆發二二八的慘劇，到 1949 年 9 月林獻堂選擇遠離故鄉，10 月共黨全面席捲中國，中國國民黨撤退來臺。短短十年，多少世局滄桑，如巨雷爆空，如閃電乍現。而李香蘭在二次大戰結束後，曾被中國政府以漢奸罪名逮捕，後來證明她是日本人而被釋放。返回日本之後，持續發展演藝事業，林獻堂再度見到她正是此時。若想起當年「他日重來堅後約，一帆無恙到瀛州」的期待，恐怕林獻堂也會對自己作為影迷的「癡傻」啞然失笑吧。

晚年愛看電視相撲與摔角

　　除了電影，他晚年的另一項娛樂是看電視。臺灣最早的電視是由政府主導的臺灣電視公司，於 1962 年開播。林獻堂在日本看電視則大約始於 1954 年，比臺灣整整提早八年。

　　由於他晚年攝護腺肥大症病情加重，難以久坐，不得不減少外出機會。1953 年底，同鄉林以德怕他在家無聊，贈送了一臺電視給他，起先他不好意思接受，不料後來電視機卻成為他生活中的一大消遣工具。他對電視播出的相撲與摔角節目尤其非常著迷，根據他的秘書林瑞池回憶：林獻堂愛看電視摔角節目，每到激

烈之處就會忍不住驚叫出聲。林獻堂曾在 1954 年 1 月 16 日的日記中寫道：

　　每午後觀テレビ（電視）頗為有趣，因電光返（反）射眼睛不快，想欲不觀，而無解悶之法，真為欲罷不能也。

　　想看又擔心螢幕光線刺激眼睛而難受，他終究仍無法抵抗電視節目誘惑。而只要電視有大相撲、職業摔角比賽，他就會在日記中記載當日的戰績，如 1954 年 1 月 24 日記錄相撲比賽結果：

　　大相撲本日最終，吉業山全勝，森永製菓贈以銀花瓶，美國人亦贈與紀念品，可見美國人對於日本人事無大小皆甚關心也。

　　除相撲之外，他記錄最多的則是職業摔角賽，同年 2 月 19 日記載：

　　晚飯後觀テレビ，美國兄弟二人與朝鮮人「力道山」、日本人木村拳鬥，皆以必死相爭，真為可怕，打一時間之久，不分勝敗。

　　5 月 24 日又寫道：

連日朝觀レスリング，夜觀拳闘，真是應接不暇。七時半瑞池還，鄰人德本二女，寺田二女及一女中亦來觀テレビ放送日本與菲律賓拳闘，觀眾約三萬人，結局日本勝，歡呼聲不絕，諸女子乃歸去。

他一方面覺得職業摔角賽很可怕，似乎非鬥得你死我活不可，一方面卻又忍不住收看，這種矛盾心理可能是發洩晚年壓抑而緊繃的情緒的需求，以減輕現實處境的苦悶與壓力。看似溫和內斂的林獻堂，透過觀看充滿暴力的電視節目，在緊張而專注的觀賞過程中，暫時忘卻現實中的痛苦，因而獲得暫時性的紓解與遺忘。

以上林獻堂的常見休閒娛樂中，關子嶺泡溫泉的愜意假期在戰後的紛亂時局中難以為繼；而從早年屬於繁忙生活中與家人同樂的娛樂，到晚年旅日孤寂生涯中的排遣苦悶，看電影這項休閒娛樂可說是他生命中極少被後人注意到、卻又不可分割的一部分。曾經熱衷當追星族的林獻堂，從 1941 年對李香蘭的著迷，到 1949 年的再度碰面，充分見證世局激烈變遷的滄桑，以及個人心境的改變。至於他晚年熱衷欣賞電視摔角節目，雖然與一般觀眾「又愛看，又怕看」的矛盾心理類似，但也隱然反映他晚年蕭索枯寂的心境，其實也渴望一些刺激，以及心靈壓力的釋放吧。

承擔時代的重量

萊園入口處有一對楹聯，上頭寫道：「自題五柳先生傳，任指孤山處士家」，彰顯萊園主人堅持操守、不隨俗俯仰的懷抱。

　　霧峰林家萊園入口，有一對楹聯：「自題五柳先生傳，任指孤山處士家」，上聯提到的〈五柳先生傳〉，是著名隱逸詩人陶淵明的自述文章，下聯「孤山處士」則是指宋代著名隱士林和靖（林逋）。這對楹聯彰顯萊園主人堅持操守、不隨俗俯仰的懷抱，也融合儒家「用之則行，舍之則藏」的思想。然而以林獻堂一生的事蹟來看，他所展現的當然不是古代隱士獨善其身的行徑，而是積極入世的承擔精神。

　　林獻堂出身豪門世家，他的祖先在清領時期以拚鬥精神強勢累積土地，甚至多次與其他豪族爆發激烈衝突，血跡斑斑。兩位伯父——林文察戴罪立功卻戰死沙場，林文明與官府產生巨大矛盾而慘遭殺害。而他的父親林文欽似乎已體悟到

依靠武力起家終究難以持久，曾中過舉人而蛻變為地方士紳。他的堂兄林朝崧、姪子林幼春、林仲衡都以擅長寫詩著稱，進而共組詩社、切磋文學。耳濡目染之下，林獻堂也逐漸養成對文學的愛好，以及少年老成的穩重性格。

他的人生黃金年代都在日本殖民統治之下度過，如果他選擇一條與多數當時士紳階層相同的路，與統治者保持密切合作，將更能確保他的社會地位與龐大產業，但他卻選擇一條比較艱困的道路——領導民族運動，為改善臺灣人被殖民的處境而奮鬥大半生。從激進或階級立場來看，林獻堂被認為是溫和保守的地主階級，但如果我們設身處地體會他的處境，林獻堂當然有其出身與知識背景的限制，而他的個性有難以避免的弱點，甚至也曾退縮躊躇過，但觀察其一生作為，持平而言，他已經在時代與社會條件的重重限制下盡了最大的努力。尤其他在戰後並不為國民政府所喜，最後遠走他鄉、病逝日本，遠離臺灣以保全操守，成為臺灣人近代悲情的一個縮影。

總結林獻堂的事功與人格，他堪稱是一個人格者，一個舊社會出身卻極具涵養的紳士。除了領導民族運動，也積極鼓吹臺灣文化再造，致力栽培人才，長期對文化藝術與文學事業奉獻心力。他難免也有凡人的缺失——會有情緒失控的時候，會因家庭紛爭而生氣，也會對同志失望、不滿。然而，從日治到戰後，不論在社會運動、政治場域遭受多少誣衊打擊或羞辱，他仍挺身熬過多重考驗。政治上的林獻堂，也許並不成功，也缺乏像蔣渭水般的英雄色彩而引人矚目，但他的堅持與努力，卻更需要長期的堅定意志，值得當代人給予更多的關注與掌聲。

從更貼近一般人的角度來看，他喜歡旅行、登山、泡溫泉，更熱愛看電影，懂得欣賞美女與才女，曾對影星李香蘭的美麗傾倒，晚年愛看電視的摔角與相撲節目，這些活生生的樣態，其實也都與你我無異。從這個面向來看，我們就不難理解何以立身謹嚴、終生堅持不娶妾的林獻堂，為何在晚年也會不小心出現婚外情。我們無須誇大其事功，過度美化其人格，但也應肯定其努力，尊敬其操守與堅持，為後人塑造一位有為有守的舊世代人格典範。

本書撰寫接近尾聲之際，因偶然在臉書看到一則朋友貼文，分享呂赫若小說集《清秋》的幾張照片，赫然發現該書封面題字竟然是出自櫟社社長傅錫祺之手。他們是潭子同鄉，呂赫若是晚輩，他結婚時，傅錫祺曾應呂赫若的父親邀請出席婚禮，呂赫若與傅錫祺長孫傅雄飛是交情頗深的好友。本書出版於昭和 19 年（1944 年），誰料得到，二戰結束數年後，呂赫若走向革命之路，最後英年早逝，命喪石碇鹿窟山區。

傅錫祺與呂赫若，兩位分屬不同世代的臺灣文學家有此交集，我因而聯想——一位是日治時期民族運動領袖林獻堂，一位是有「臺灣第一才子」美稱的作家呂赫若，兩人是否也曾有過交會？翻閱林獻堂日記之後發現，1944 年 11 月 4 日有以下記載：

　　工藤美好者，臺北帝大助教授也，十時餘葉榮鐘、楊貴、呂赫若與之同來，攀、猶、雲、文環、磐石俱出相會，攀龍導之遊萊園、觀大花廳，午餐後乃去。

這則語氣平淡的記事，主要人物是臺北帝大文學教授工藤美好，其他人都是陪客。而這可能是目前可見林獻堂與呂赫若曾晤面的唯一資料，這一年呂赫若剛出版小說集，在臺灣文壇聲勢如日中天。而包括張文環、楊逵（本名楊貴）、葉榮鐘幾位臺灣作家，以及林獻堂的三個兒子齊聚一堂，也堪稱百年來萊園人文薈萃的另一則證據。

不過引發筆者深層感懷的是，與這次晤面相隔不到十年，臺灣在世局牽引下，被迫捲入時代狂瀾，因而發生了驚天動地的大變化。而上述諸人的命運與選擇也無法置身於亂流之外，雖選擇與命運各異，但悲憤與痛苦則相同。1945 年 8 月二次大戰結束，臺灣結束為期 50 年的殖民統治，1947 年 2 月爆發二二八事件，1949 年 9 月林獻堂遠走日本，晚年在異鄉度過七年悲涼而淒苦的歲月。同年，楊逵因「和平宣言」而被捕入獄，被遣送綠島服刑，前後十二年。1948 年，呂赫若從文藝青年蛻變為左翼革命家，在風聲鶴唳下，開始他秘密與躲藏的革命生涯，據說 1951 年在石碇山區被毒蛇咬死，至今屍骨無存。葉榮鐘在二二八事件後離開公職，在林獻堂去世後發憤著述，以保存臺灣歷史記憶為職志。張文環則選擇噤聲不語，停止寫作，直到晚年才又出版日文小說集。

這些人，這些事，都發生在不久以前，這既是一群臺灣文藝菁英的故事，也是一頁頁淚痕與光影交錯的臺灣現代滄桑史。而隱藏在這些史料背後，還有更多值得認識、閱讀的故事，等待更多有心人撥開重重歷史迷霧與堆積的灰塵，去挖掘、探索。或許我們可以從中尋求啟發，指引當代臺灣人思索未來的道路。

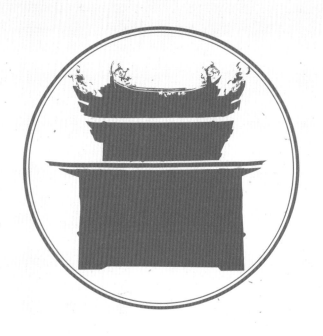

林獻堂生平年表

年號	年齡	生平事蹟	重要時事
光緒 7 年 （1881 年）	1 歲	獻堂生於阿罩霧（今霧峰）。	法國宣稱越南為其保護國，清廷命劉永福率黑旗軍與法軍作戰
光緒 9 年 （1883 年）	3 歲		法將孤拔率法軍先後攻臺灣基隆及澎湖，林朝棟率鄉勇抗法軍於獅球嶺。
光緒 10 年 （1884 年）	4 歲		中法議和。 九月，臺灣改設行省，劉銘傳擔任首任巡撫。
光緒 20 年 （1894 年） 以前	14 歲 之前	• 獻堂於 1887 年入家塾蓉鏡齋，受何趨庭啟蒙。 • 林文欽中舉人，並築萊園於阿罩霧，頤養羅太夫人。	• 1886 年，劉銘傳在臺灣推行新政。1887 年鋪設臺灣鐵路，1889 年，建臺灣府城（今臺中市），1890 年去職，在臺 5 年，建設臺灣貢獻甚大。 • 1894 年，中日甲午戰爭爆發，北洋艦隊大敗，海軍提督丁汝昌自殺。

光緒 21 年 （1895年） 明治 28 年	15 歲	獻堂與族人奔大陸泉州避亂。	乙未割臺，日軍與臺灣義軍激戰數月始控制全臺。丘逢甲、林朝棟、劉永福等人先後內渡。吳湯興、徐驤等人壯烈成仁。
光緒 22 年 （1896年） 明治 29 年	16 歲	臺灣局勢稍穩，獻堂與其他族人自大陸返回霧峰。	3 月 30 日，日本政府公布法律第 63 號：臺灣總督府得於其管轄區域內發布與法律有同等效力之命令，即「六三法案」
光緒 23 年 （1897年） 明治 30 年	17 歲	獻堂在家由白煥圃授經史。	依據馬關條約，5 月 8 日為臺灣住民決定去就之日，赴中國大陸者達數千人。
光緒 24 年 （1898年） 明治 31 年	18 歲	獻堂與楊水心結婚。	戊戌變法失敗，康有為、梁啟超亡命於日本。臺灣總督府公布「罪徒刑罰令」及保甲條例，用以對付抗日活動。

光緒 26 年 （1900年） 明治 33 年	20 歲	10 月，獻堂之父林文欽病逝香港，獻堂赴香港運柩歸葬。	• 八國聯軍攻佔北京，慈禧、光緒出奔避亂。 • 清廷與列國議和，簽訂「庚子和約」。
光緒 28 年 （1902年） 明治 35 年	22 歲	櫟社創設於 1901 年，由堂兄林朝崧首創。根據社史《櫟社沿革誌略》記載：癡仙、幼春叔侄與賴紹堯本年正式合組「櫟社」，詩友多響應加盟。可知 1902 年才正式成立。	• 日本政府宣布將法律 63 號，延至 1905 年。 • 自 1898 年～1902 年，臺灣抗日義民被日本軍警所殺者，多達 11,950 人。
光緒 31 年 （1905年） 明治 38 年	25 歲	獻堂任臺灣製麻株式會社取締役（即董事）。	
光緒 33 年 （1907年） 明治 40 年	27 歲	• 獻堂赴日本，初識梁啟超。返臺後告知幼春與梁啟超結識始末，幼春乃主動致函梁氏。 • 本年中秋，獻堂籌組「萊園詩會」；成員涵蓋霧峰在地文人與外地來賓。	徐錫麟在安徽起義，刺殺滿人恩銘，事敗，與秋瑾先後被殺。

宣統 2 年 （1910 年） 明治 43 年	30 歲	・ 根據《臺灣總督府職員錄》記載：獻堂本年起擔任霧峰區長，1912 年卸任。 ・ 獻堂正式加入櫟社。 ・ 4 月 23 日，櫟社擴大舉行「庚戌春會」，除社員 20 人出席外，並有南北詩友 31 人會邀參加，癡仙有長詩紀其盛，幼春、獻堂均與會。 ・ 獻堂攜二子赴東京留學，再訪梁啟超，邀請梁氏來臺訪問，梁氏作長詩〈贈臺灣遺民獻堂兼簡其從子幼春〉贈之，幼春、癡仙均曾次韻回贈。	日本併吞朝鮮。
宣統 3 年 （1911 年） 明治 44 年	31 歲	3 月下旬，梁啟超應獻堂之邀來臺訪問，4 月 2 日櫟社在臺中開歡迎會，中部士紳出席者多人，合影留念。梁氏並下榻霧峰萊園，作客數日，與癡仙、幼春、獻堂等吟詩唱和，梁氏勉獻堂、幼春勿以文人終身，兩人深受激勵。	10 月辛亥革命成功，11 月，中華民國成立。孫中山就任臨時大總統。

民國元年 （1912年） 大正元年	32 歲	櫟社創社 10 週年紀念大會於萊園舉行，癡仙、幼春、獻堂均出席。	袁世凱就任中華民國大總統。
民國 2 年 （1913年） 大正 2 年	33 歲	• 3 月 29 日，獻堂將遊中國，櫟社於癡仙「無悶草堂」集會餞行。獻堂有詩〈將遊中華留別〉。 • 獻堂遊歷北京。 • 4 月 5 日，霧峰林家族人與中部士紳為籌設中學奔走。 • 5 月與板垣退助結識，道盡臺灣在日人統治下的種種不平事件。	
民國 3 年 （1914年） 大正 3 年	34 歲	• 獻堂等人正式發起「臺中中學」之籌設。 • 癡仙、獻堂為臺灣同化會積極奔走，幼春則持保留態度。	• 7 月 28，第一次世界大戰爆發。 • 板垣退助伯爵於 12 月 20 日來臺倡設同化會。

民國 4 年 （1915年） 大正 4 年	35 歲	• 5 月，「臺灣公立臺中中學校」（今臺中一中）開辦。 • 10 月，櫟社創始人林癡仙病故。 • 10 月，獻堂擔任臺灣製麻株式會社取締役社長（即董事長）。	• 1 月，臺灣總督府多方壓迫同化會，2 月，下令撤銷。 • 5 月，日本向中國提出 21 條件，以最後通牒強迫接受。 • 8 月，噍吧哖事件發生。 • 12 月，袁世凱稱帝，改明年為洪憲元年。
民國 5 年 （1916年） 大正 5 年	36 歲	10 月 7 日櫟社為癡仙舉行逝世週年追悼會，幼春代表遺族致謝。	3 月，袁世凱帝制失敗。
民國 6 年 （1917年） 大正 6 年	37 歲	11 月 29 日，櫟社成立 15 週年之紀念會於萊園召開，幼春、獻堂出席。	
民國 7 年 （1918年） 大正 7 年	38 歲	獻堂常往來於臺灣、日本間，與東京之臺灣留學生接觸漸多。	美國總統威爾遜發表 14 點和平宣言，民族自決思想風靡一時。

民國 8 年 （1919年） 大正 8 年	39 歲	<ul><li>「臺灣文社」成立，幼春、獻堂與櫟社社員共 12 人，以創立者身分擔任理事，幼春為文務理事，獻堂為財務理事。</li><li>10 月，獻堂再度赴日，拜訪新任總督田健治郎，提出對臺灣政治改革之意見。</li></ul>	<ul><li>第一次世界大戰結束。</li><li>5 月 4 日，中國五四運動發生。</li><li>10 月 29 日，田健治郎任臺灣總督，為首任文官總督。</li></ul>
民國 9 年 （1920年） 大正 9 年	40 歲	<ul><li>獻堂擔任臺中廳庶務課參事。</li><li>1 月 31 日，幼春、獻堂於萊園舉行「櫟社觀梅會」，社員共 16 人出席。會中並作擊鉢吟詩，題目有〈空氣枕〉、〈折梅〉、〈火山〉等。</li><li>9 月 27 日，幼春、獻堂出席櫟社集會，商討 20 週年紀念會事宜，幼春負責主編同人詩集，獻堂負責紀念碑製作。</li><li>11 月 28 日，獻堂在東京領導臺灣留學生集會，商討要求日本撤銷六三法案。</li></ul>	<ul><li>3 月，臺灣留日學生在東京組「新民會」，獻堂、蔡惠如分別擔任正副會長。</li><li>留日學生組「臺灣青年會」，7 月，因蔡惠如之捐款贊助，創辦《臺灣青年》，是為《臺灣民報》之前身。</li></ul>

民國 10 年 （1921年） 大正 10 年	41 歲	• 4 月，獻堂為設置議會請願活動，赴各地宣傳，民眾反應熱烈。 • 6 月 18 日，櫟社於臺中瑾園集會，獻堂出席。 • 總督府聘獻堂為第一屆總督府評議會員。 • 10 月 17 日，獻堂被推選為「臺灣文化協會」總理。	• 2 月，第一次臺灣議會設置請願書向日本帝國議會提出。 • 10 月 17 日，「臺灣文化協會」由蔣渭水等人發起，在臺北創立。
民國 11 年 （1922年） 大正 11 年	42 歲	• 2 月，由獻堂領銜，共 512 人連署，第二次向日本提出設置議會之請願。 • 9 月，獻堂、幼春等八人往總督府拜訪總督，被稱為「八駿事件」。 • 10 月 8 日，「櫟社二十年題名碑」落成典禮於萊園舉行，包括幼春、獻堂在內之社員 19 人出席，與會來賓 35 人，賓主共 54 人，盛況空前。碑面題名者有在世社員 23 人。	• 4 月 1 日，《臺灣青年》改名為《臺灣》。 • 8 月，臺灣總督府開始打壓臺灣議會請願運動。

民國12年 （1923年） 大正12年	43歲	• 2月，第三次議會請願運動，由蔣渭水等三人代表赴日，各界隆重送行，幼春作詩〈送蔡培火、蔣渭水、陳逢源三君之京〉，該詩並發表於《臺灣》雜誌，傳誦一時。 • 獻堂因受總督府之威逼，本年未出面領導請願運動，頗為部分同志所不諒解。 • 10月，幼春出任文化協會之協理，為獻堂之主要參謀。 • 12月16日，幼春因身為議會請願運動之主要成員被捕。獻堂倖免於難，設法撫慰被捕者之家屬，並提供在押同志物資所需。	• 1月30日，臺灣議會期成同盟會，在臺成立，2月2日被總督府禁止。 • 2月21日，臺灣議會期成同盟會復於東京成立。 • 4月15日，《臺灣》雜誌增刊《臺灣民報》半月刊。6月，該社改組為株式會社。 • 9月6日，內田嘉吉接田健治郎職，為新任總督。 • 12月16日總督府發動全島大搜捕，同時被捕者60餘人，是為「治警事件」。

民國 13 年 （1924 年） 大正 13 年	44 歲	• 7 月 3 日，文化協會分別於臺北、臺中、臺南三地同時召開「無力者大會」，以聲討「有力者大會」之迎合日本當局。幼春與獻堂負責臺中之大會工作，獻堂擔任大會主席，抨擊辜顯榮甘為日本人之鷹犬，幼春於會中演講「無力者之自白」。 • 7 月～ 8 月，「治警事件」第一審，林幼春、蔡惠如等人獲判無罪。 • 8 月 1 日，文化協會在萊園舉辦第一回夏季學校，由獻堂主期事。 • 10 月，「治警事件」第二審，林幼春等人被改判有罪，禁錮三個月。 • 12 月 6 日，櫟社秋會在獻堂宅舉行，幼春、獻堂均出席，是會以「演說」為擊鉢吟題。 • 12 月 29 日，文協於臺中大會堂開會歡迎贊成臺灣自治之日人田川大吉郎，由幼春代表獻堂出面主持。	• 2 月，連雅堂創辦《臺灣詩薈》，共發行 22 期。 • 3 月 1 日，日本政府以違反治安警察法將臺灣議會期成同盟會主要成員蔣渭水、林幼春等 15 人起訴。 北京留學生張我軍在《臺灣民報》相繼發表〈致臺灣青年的一封信〉、〈糟糕的臺灣文學界〉……介紹中國新文學運動並攻擊舊詩人，遂引起持續一年多的新舊文學論戰。

| 民國 14 年
（1925年）
大正 14 年 | 45 歲 | • 1 月〜 2 月，幼春、獻堂參與第六次臺灣議會設置請願運動之籌備工作，獻堂再度出面領導。
• 2 月，「治警事件」第三審，上述駁回，幼春等人判刑確定。
• 2 月 21 日，蔡惠如自清水赴臺中監獄報到，入獄前先到臺中醫院探視因病住院之幼春，群眾送行者絡繹不絕。幼春則延至 3 月 2 日入獄，服刑前後相關詩作甚多。
• 2 月，獻堂率請願代表共四人赴日本國會，提出臺灣議會設置請願書。
• 4 月，獻堂自日本歸來應邀赴各地演講，凝聚民心效果甚大。
• 4 月 25 日，櫟社櫟員 15 人於獻堂宅集會，為獻堂請願洗塵，因兩位社員幼春、蔡惠如刻在獄服刑中，是會乃以「詩人」、「獄」、「迅雷」為擊鉢吟題。 | • 2 月 20 日「治警事件」判決，蔣渭水等人被判有罪。
• 3 月，孫中山先生病逝北京，文協在臺北舉行追悼會，兩千餘人參加，被日警禁止 |

民國 14 年 （1925 年） 大正 14 年	45 歲	• 5 月 10 日，幼春、惠如及其他「治警事件」入獄同志分別獲假釋出獄。6 月 6 日、櫟社於獻堂宅為幼春、惠如舉行出獄慰安會。 • 7 月～8 月，文化協會第二回夏季學校於霧峰萊園舉行。 • 7 月，獻堂與文協同志赴新竹市舉行文化講演會。	• 5 月，治安警察法維持實施。 • 7 月 27 日文化夏季學校第二回在霧峰開辦。 • 8 月 31 日，「臺灣雜誌社」改名為「臺灣民報社」。 • 12 月 26 日，臺灣議會設置請願代表蔡培火一行抵東京。
民國 15 年 （1926 年） 大正 15 年 （昭和元年）	46 歲	• 2 月，獻堂領銜向日本國會提出請願書，署名者兩千餘人，是為第七次請願。 • 5 月 15 日、16 日文協於霧峰舉行理事會，由獻堂主持。 • 6 月 15 日，櫟社小集於獻堂宅舉行，幼春、獻堂等 17 名社員出席。 • 12 月，獻堂主持文協所召開之改組案起草委員會，文協內部左右兩派之對立開始表面化。 • 12 月，獻堂與陳炘籌備數年之「大東信託會社」成立，獻堂任社長。	• 6 月，臺灣農民組合在鳳山成立。 • 8 月，上山滿之進取代伊澤多嘉男接任臺灣總督。

民國 16 年 （1927 年） 昭和 2 年	47 歲	• 1 月 3 日，臺灣文化協會由左派掌控，獻堂、幼春、蔣渭水等退席。獻堂在有條件下暫列為委員。 • 5 月，獻堂率次子猶龍展開為期一年的環球之旅。 • 7 月，《臺灣民報》由東京遷回臺灣發行。	• 1 月，臺灣文化協會左右兩派分裂。 • 5 月，文協舊幹部以蔣渭水為首，另組「臺革新會」，於臺中舉行成立大會，6 月被禁。 • 7 月，臺灣民眾黨於臺中成立。
民國 17 年 （1928 年） 昭和 3 年	48 歲	• 5 月，獻堂與次子猶龍結束環球之旅，由美國東返，停留日本至冬天始返臺。 • 11 月 18 日，櫟社為獻堂召開洗塵會於臺中，幼春未出席。獻堂於席上力言癡仙為櫟社開創者，其功厥偉，而逝世已十餘年，其遺詩至今仍未刊行，實大抱愧疚。櫟社積極為癡仙編定詩集，始自此議。	
民國 18 年 （1929 年） 昭和 4 年	49 歲	• 1 月，獻堂獲選為新成立之「臺灣新民報社」社長。 • 5 月 20 日，蔡惠如病故，獻堂參加告別式。	

民國 19 年 （1930年） 昭和 5 年	50 歲	• 3 月 29 日，《臺灣民報》自第 306 號起，改名為《臺灣新民報》，獻堂擔任社長，幼春改任顧問。 • 4 月 1 日，櫟社通過「社員不出席總會三次以上者應照社則看作退社」，實針對連橫「鴉片事件」而發。 • 7 月 3 日，獻堂被任為臺灣總督府評議會員。5 日，獻堂訪石塚總督，辭府評議會員。 • 8 月 17 日，臺灣地方自治聯盟成立於臺中，獻堂被推為顧問。 • 11 月，獻堂發出辭退總督府評議會員呈文。	• 3 月，連橫就鴉片特許問題，發表意見附和總督府，引起眾多非議。 • 3 月 1 日，獻堂、蔣渭水等人會見國際聯盟派遣來臺之三委員，陳述臺灣鴉片問題之意見。 • 10 月 27 日，南投霧社原住民武裝抗日起義，是為「霧社事件」。日軍鎮壓派飛機投炸彈、毒瓦斯，手段殘酷。
民國 20 年 （1931年） 昭和 6 年	51 歲	• 1 月，獻堂辭任「臺灣民眾黨」顧問職。 • 4 月，櫟社鑄造詩鐘三架以紀念創社 30 年，26 日集會於東山別墅，並舉行「撞鐘式」，鐘上合文為「小叩大鳴。願我多士，雅韻同賡。振聾發瞶，勿墜清聲」。	

民國 20 年 （1931年） 昭和 6 年	51 歲	• 6 月，傅錫祺等編選林癡仙詩，輯為《無悶草堂詩存》完成，幼春、獻堂撰寫序文。 • 11 月 23 日，櫟社創社 30 週年紀念會於獻堂宅舉行。	
民國 21 年 （1932年） 昭和 7 年	52 歲	• 黃春成、郭秋生為創辦新文學雜誌，赴霧峰拜訪幼春、獻堂，該雜誌由林幼春命名為《南音》。 • 1 月底，獻堂辭「臺灣新民報社」社長職，該社後不置社長，一切由專務取締役（總經理）負責。	1 月，由黃春成、葉榮鐘、賴和等人創辦之《南音》正式創刊。
民國 22 年 （1933年） 昭和 8 年	53 歲	• 4 月 30 日，獻堂、幼春及櫟社成員共 9 人，為《無悶草堂詩存》之出版，至癡仙墓前舉行奉告儀式。 • 11 月 11 日櫟社集會，獻堂提議一年中多集會幾回（因該社活動已漸趨沉寂）。	

民國 23 年 （1934 年） 昭和 9 年	54 歲	• 8 月，獻堂與同志決定政式結束為期 10 餘年的臺灣議會設置請願運動。 • 冬，幼春與獻堂主編《西河林氏族譜》完成。	5 月，張深切發起「臺灣文藝聯盟」在臺中召開成立大會。
民國 24 年 （1935 年） 昭和 10 年	55 歲	• 1 月，獻堂出席在臺中市舉行之「臺灣米擁護大會」，由獻堂擔任主席。 • 8 月，獻堂於「臺灣地方自治聯盟」第三次大會中，建議將該聯盟改組為政黨，未獲通過。	1 月 23 日，臺灣米穀大會於臺中召開。
民國 25 年 （1936 年） 昭和 11 年	56 歲	• 3 月，獻堂參加《臺灣新民報》所組之「華南考察團」赴大陸南部各大城市。 • 5 月，《臺灣日日新報》刊出獻堂在上海之親中國言論，為當局所不滿。 • 6 月，臺灣軍部指使日本流氓在臺中毆辱獻堂，藉以示警，是為「祖國事件」。	

民國 26 年（1937年）昭和 12 年	57 歲	• 2 月，北部御用紳士郭廷俊為首，邀獻堂於「臺灣始政紀念日」聯袂參拜日本神社，獻堂拒絕參加。 • 5 月，獻堂赴日本東京，6 月作詩諷刺御用紳士參拜日本神社之舉。 • 因獻堂赴日本，幼春閉門養病，櫟社活動甚少，3 月之總會僅 7 人出席。	• 4 月，禁止報紙之漢文版，改用日文。 • 6 月 17 日，郭廷俊等 47 名御用紳士參拜日本神社，晉見總督，致謝領臺 42 年之「德政」。 • 7 月 7 日，蘆溝橋事變爆發，中日八年戰爭開始。臺灣總督及軍司令，對臺民發表戰時警告，禁止所謂「非國民之言動」。 • 7 月，臺灣自治聯盟被下令解散。
民國 27 年（1938年）昭和 13 年	58 歲	獻堂仍留居東京，至 12 月 15 日返臺北。	1 月，臺灣小林總督發表臺民志願兵制之實施，並宣稱此制度為與皇民化徹底之同一必要行動。
民國 28 年（1939年）昭和 14 年	59 歲	• 1 月，櫟社總會於獻堂宅舉行，含獻堂、幼春在內，出席者僅 7 人而已。因社員人數甚少，決議不改選。 • 7 月，獻堂再赴東京。	

民國 28 年 （1939年） 昭和 14 年	59 歲	• 9 月，獻堂在東京不慎骨折，養病始集中精力作詩。 • 10 月 2 日，幼春病逝霧峰家中，享年 60 歲。	• 9 月第二次世界大戰爆發。 • 12 月 19 日，臺中州開始所謂「米穀供獻報國運動」，實為侵略戰爭而強制徵糧。
民國 29 年 （1940年） 昭和 15 年	60 歲	• 6 月，獻堂與日本之鄉友，共組「留東詩友會」，時相唱和作詩。後由陳虛谷編輯成《海上唱和集》，其中收有獻堂詩作 129 首。 • 9 月，獻堂作五古長詩〈述懷〉一首，回顧半生之經歷，對日本治臺措施大加批判。 • 10 月，《海上唱和集》出版。 • 10 月 27 日，獻堂自東京返臺，31 日抵臺北。 • 12 月 23 日，獻堂在霧峰組「漢詩習作會」大力提倡作詩，以鼓勵年輕一輩承傳漢族化為職志。	• 2 月，總督府公告廢陰曆過年。 • 2 月 11 日，臺灣戶口規則修改，規定臺人改日本姓名辦法，強迫臺人改日本姓名。

民國 30 年 （1941 年） 昭和 16 年	61 歲	• 3 月，獻堂櫟社社長傅錫祺感於櫟社老舊凋零，活動漸趨式微，乃邀原社員之子弟、學生輩共 10 人入社。 • 3 月起，獻堂為鼓勵後進讀漢詩，邀傅錫祺每週來霧峰兩次，訂定課程，以便「漢詩習作會」成員請益。 • 11 月 30 日，櫟社員集於獻堂宅，作詩祝賀其 60 歲生日。	• 2 月 11 日，《臺灣新民報》被迫改為《興南新聞》。 • 4 月 19 日，總督府為推行戰時體制，創立「皇民奉公會」。 • 12 月 7 日，日機偷襲珍珠港，太平洋戰爭爆發。次日，日本對美英宣戰。
民國 31 年 （1942 年） 昭和 17 年	62 歲	• 3 月 1 日，櫟社總會於獻堂宅舉行，葉榮鐘加入為社員。 • 6 月 8 日，獻堂日記有「盡日無來客，得安閒讀詩」之語。 • 12 月 27 日，櫟社 40 週年紀念會在萊園舉行。獻堂在會上致開會辭，並述 40 年之經過，及存歿、退社、現在社員數。應社社員 6 人以來賓身分出席祝賀。	

民國 32 年 （1943 年） 昭和 18 年	63 歲	• 1 月 31 日，賴和病逝，由獻堂擔任主祭。 • 10 月，《櫟社第二集》交付排印後，因獻堂詩〈老妓行〉，觸犯時忌，被當局沒收，禁止發行。 • 11 月 16 日，獻堂日記有「昨夜無米可炊」之語，可見日人實施配給制度之嚴厲。	• 9 月 24 日，臺灣實施徵兵制度。 • 11 月，中美英三國在開羅開會，發表「開羅宣言」。
民國 33 年 （1944 年） 昭和 19 年	64 歲	• 4 月，獻堂被「皇民奉公會」臺中州支部派任為大屯郡事務長。	• 10 月 12 日，盟軍飛機開始轟炸臺灣各地。 • 12 月 30 日臺灣總督長谷川清辭職，由臺灣軍司令官安藤兼任總督。
民國 34 年 （1945 年） 昭和 20 年	65 歲	• 4 月 4 日，獻堂被日本政府委任為貴族院敕選議員。 • 8 月 4 日，安藤總督來霧峰拜訪獻堂。 • 8 月 20 日，獻堂因顧慮日本戰敗後臺灣治安問題，與次子猶龍、許丙、藍國城至總督拜訪安藤總督。	• 5 月，希特勒自殺，德國投降。 • 8 月 6 日、8 日美軍分別以原子彈炸日本廣島、長崎再地。 • 8 月 15 日，日本無條件投降。

民國 34 年 （1945年） 昭和 20 年	65 歲	• 8 月 31 日，獻堂赴上海、南京等地，拜訪國民政府官員，9 月 13 日歸臺。 • 10 月～ 12 月，獻堂積極為救援在日本及中國大陸之臺灣人而奔走。	• 10 月 24 日，陳儀以臺灣行政長官身分蒞臺。 • 10 月 25 日，在臺北市舉行日本敗戰受降典禮。
民國 35 年 （1946年）	66 歲	• 5 月 1 日，臺灣省參議會開會，選舉議長時，獻堂事先聲明不競選議長。 • 8 月 29 日獻堂應丘念臺之邀參加「臺灣光復致敬團」赴中國。 • 10 月，「彰化商業銀行籌備處」成立，獻堂為主任。	5 月 1 日，第一屆臺灣省參議會成立。
民國 36 年 （1947年）	67 歲	• 3 月 1 日，二二八事件波及臺中，獻堂在自宅掩護來臺中參加彰化銀行成立大會之財政處長嚴家淦。 • 3 月 27 日，獻堂應白崇禧之邀赴臺北，陳述二二八事件善後工作及後統治臺灣之意見。 • 5 月，臺灣省政府改組成立，獻堂被任為省府委員。	• 2 月 28 日，「二二八事件」全面爆發，擴及全臺。 • 3 月 17 日，國防部長白崇禧蒞臺處理二二八事件事宜。
民國 37 年 （1948年）	68 歲	6 月，臺灣省通誌館成立，獻堂被任為館長。	4 月，國民政府選出總統蔣中正、副總統李宗仁，5 月20 日就職。

民國 38 年 （1949年）	69 歲	• 9 月 23 日，獻堂搭機赴日本。 • 12 月 15 日，獻堂請辭省府委員及通誌館長職獲准。	• 1 月，陳誠任臺灣省政府主席。 • 10 月 1 日，中共宣布建國。 • 12 月 15 日，陳誠辭省主席職，吳國楨繼任，閻錫山內閣自重慶遷來臺。
民國 39 年 （1950年）	70 歲	• 1 月，省主席吳國楨來函聘為省府委員，獻堂以詩辭謝。 • 5 月，獻堂移居神奈川縣逗子市，自署所居為「遁樓」暗寓心境。	• 3 月，蔣總統在臺北復行視事。 • 6 月，韓戰發生，美國派第七艦隊協防臺灣。
民國 40 年 （1951年）	71 歲	• 9 月，自編《連遊吟草》出版，收錄自 1950 年 9 月～1951 年 8 月在日本所作詩歌，共 115 首。	
民國 41 年 （1952年）	72 歲	• 2 月，獻堂辭彰化銀行董事長職。 • 4 月，獻堂移居靜岡，租屋養病。 • 5 月，葉榮鐘來日探視獻堂，獻堂贈詩。	
民國 45 年 （1956年）	76 歲	9 月 8 日，獻堂病逝於日本東京，享年 76 歲。	

參考書目

書籍

1. 林獻堂先生紀念集編纂委員會編，《林獻堂先生紀念集：遺著》，臺北：海峽學術出版社，2005。

2. 林獻堂先生紀念集編纂委員會編，《林獻堂先生紀念集：年譜、追思錄》，臺北：海峽學術出版社，2005。

3. 林獻堂著，許雪姬主編，《灌園先生日記》共計 27 冊，臺北：中央研究院臺灣史研究所、近代史研究所，2000 ～ 2013。

4. 林莊生，《懷樹又懷人：我的父親莊垂勝、他的朋友及那個時代》，臺南：真理大學臺文館，2011。

5. 許雪姬撰稿，《中縣口述歷史》第五輯《霧峰林家相關人物訪談記錄，頂厝篇、下厝篇》，臺中：臺中縣立文化中心，1998。

6. 賴西安（李潼），《臺灣民族運動倡導者：林獻堂傳》，南投：臺灣省文獻委員會，1978。

7. 張正昌，《林獻堂與臺灣民族運動》，臺北：益群書店，1981。

8. 黃富三，《林獻堂傳》，南投：國史館臺灣文獻館，2004。

9. 賴西安（李潼），《臺灣兒女系列：阿罩霧三少爺》，臺北：圓神出版社，1999。

10. 廖振富，《櫟社研究新論》，臺北：國立編譯館，2006。

11. 廖振富，《臺灣古典文學的時代刻痕：從晚清到二二八》，臺北：國立編譯館，2007。

12. 廖振富，《新修霧峰鄉志 · 文化教育篇》，臺中：霧峰鄉公所，2009。

13. 廖振富，《臺灣古典作家精選集：林癡仙集》，臺南：國立臺灣文學館，2011。

14. 廖振富，《臺灣古典作家精選集：林幼春集》，臺南：國立臺灣文學館，2011。

15. 李毓嵐，《世變與時變：日治時期臺灣傳統文人的肆應》，臺北：國立臺灣師範大學歷史學系，2010。

16. 廖振富，《蔡惠如資料彙編與研究》，臺北：臺大出版中心，2013。

17. 廖振富、楊翠，《臺中文學史》上、下冊，臺中：臺中市文化局，2015。

🏵 碩博士論文

1. 廖振富，〈櫟社三家詩研究：林癡仙、林幼春、林獻堂〉，國立臺灣師範大學國文研究所博士論文，1996。
2. 徐千惠，〈日治時期臺人旅外遊記析論：以李春生、連橫、林獻堂、吳濁流遊記為分析場域〉，國立臺灣師範大學國文研究所碩士論文，2002。
3. 黃郁升，〈林獻堂《環球遊記》及其現代性論述〉，國立臺灣師範大學臺灣文化及語言文學研究所碩士論文，2011。
4. 林淑芬，〈從《灌園先生日記》探討林獻堂的家人互動與家庭觀〉，國立中興大學臺灣文學與跨國文化研究所碩士論文，2012。
5. 楊淑珺，〈時代創傷與世局觀照：林獻堂晚年旅日詩作及日記探微〉，國立中興大學臺灣文學與跨國文化研究所碩士論文，2013。

🏵 期刊

1. 周婉窈（林南晴），〈思鄉何不歸故里：林獻堂先生的晚年心境試探〉，《日據時代的臺灣議會設置請願運動》附篇，臺北：自立報系文化，1989。
2. 廖振富，〈欲吐哀音只賦詩：戰後的林獻堂詩〉，《臺中商專學報》第28期（1996）。
3. 許雪姬，〈林獻堂著「環球遊記」研究〉，《臺灣文獻》，49卷，2期（1998）。
4. 許雪姬，〈皇民奉公會的研究：以林獻堂的參與為例〉，《中央研究院近代史研究所集刊》，31期（1999）。
5. 廖振富，〈反戰與反皇民化的呼聲：日據末期的林獻堂詩〉，《臺灣文獻》，50卷4期（1999）。
6. 許雪姬，〈反抗與屈從：林獻堂府評議員的任命與辭任〉，《國立政治大學歷史學報》，19期（2002）。

7. 許雪姬，〈二二八事件中的林獻堂〉，收於《20 世紀臺灣歷史與人物：第六屆中華民國史專題論文集》，臺北：國史館，2002。

8. 張惠珍，〈他者之域的文化想像與國族論述：林獻堂《環球遊記》析論〉，《臺灣文學學報》，6 期（2005）。

9. 許雪姬，〈忘年之交：獻堂仙與雲萍師〉，《臺灣文獻》，57 卷，1 期（2006）。

10. 王振勳，〈林獻堂的性格與人格之研究〉，《朝陽人文社會學刊》，5 卷，2 期（2007）。

11. 王振勳，〈從林獻堂日記看傳統家／族長的角色與權力〉，《朝陽學報》，第 13 期（2008）。

12. 王振勳，〈林獻堂的佛教因緣與佛教思想之研究〉，《朝陽人文社會學刊》，6 卷，2 期（2008）。

13. 許雪姬，〈臺灣史上一九四五年八月十五日前後：日記如是說「終戰」〉，《臺灣文學學報》，第 13 期（2008）。

14. 廖振富，〈與「二二八事件」相關之臺灣古典詩析論：以詩人作品集為討論範圍〉，《臺灣文學研究學報》，第 1 期（2005）。

15. 林淑慧，〈敘事、再現、啟蒙：林獻堂 1927 年日記及《環球遊記》的文化意義〉，《臺灣文學學報》，第 13 期（2008）。

16. 廖振富，〈百年風騷，誰主浮沉？：二十世紀臺灣兩大傳統詩社：櫟社、瀛社之對照觀察〉，《臺灣文學研究學報》，第 9 期（2009）。

17. 顧敏耀，〈臺灣古典詩與二二八事件：以林獻堂、曾今可及其步韻詩為主要研究對象〉，收於楊振隆總編輯，《二二八事件 62 週年學術研討會：二二八歷史教育與傳承 學術論文集》，臺北：財團法人二二八事件紀念基金會，2009。

18. 李毓嵐，〈日治時期臺灣傳統文人的女性觀〉，《臺灣史研究》，16 卷 1 期（2009）。

19. 李毓嵐，〈日治時期臺灣傳統詩人的休閒娛樂：以櫟社詩人為例〉，《臺灣學研究》，7 期（2009）。

20. 許雪姬、吳文星、黃克武、廖振富、翁聖峰、陳俊啟、黃美娥，〈梁啟超遊臺百年紀念座談會紀錄〉，《臺北文獻》直字第 176 期（2011）。

21. 李毓嵐，〈日治時期霧峰林家的婚姻圈〉，《臺灣文獻》，62 卷 4 期（2011）。

22. 許雪姬，〈「臺灣光復致敬團」的任務及其影響〉，《臺灣史研究》，18 卷 2 期（2011）。

23. 許雪姬，〈林獻堂《環球遊記》與顏國年《最近歐美記》、《旅行日記》的比較〉，

24. 《臺灣文獻》，62 卷 4 期（2011）。

25. 廖振富，〈傅錫祺日記的發現及其研究價值：以文學與文化議題為討論範圍〉，《臺灣史研究》，第 18 卷第 4 期，頁 201-239（2011）。

26. 李毓嵐，〈林獻堂生活中的女性〉，《興大歷史學報》，24 期（2012）。

27. 李毓嵐，〈林獻堂與婦女教育：以霧峰一新會為例〉，《臺灣學研究》，第 13 期（2012）。

28. 廖振富，〈時代轉折的見證，臺灣文學史的新發現：傅錫祺家藏櫟社史料的學術價值〉，《臺灣文學史料集刊》第二輯（2012）。

29. 廖振富、張明權，〈《傅錫祺日記》所反映的親人互動及其家庭觀〉，《臺灣史研究》，20 卷 3 期（2013）。

30. 廖振富，〈日治時期新興文學傳播網路的形成：以櫟社史料為研究對象〉，《臺灣文學史料集刊》，第 4 輯（2014）。

網路

1. 顏娟英，顏水龍與林獻堂 —— 故鄉理想的文化：http://twcenter.org.tw/g03/g03_16_03_05.pdf（搜尋日期：2016/9/15）。

2. 陳凱劭，林獻堂先生日記中的顏水龍：http://slyen.org/forum/viewtopic.php?t=52（搜尋日期：2016/9/15）。

3. 李道明，臺灣電影一百年：http://w3.tkgsh.tn.edu.tw/97c219/%E5%8F%B0%E7%81%A3%E9%9B%BB%E5%BD%B1%E7%99%BC%E5%B1%95.htm（搜尋日期：2016/10/15）。

4. 在城市裡遊蕩的海豚跟白熊，根本就是鐵粉 —— 林獻堂眼中的李香蘭：https://www.mplus.com.tw/article/1216（搜尋日期：2016/10/17）。

臺中學 2

追尋時代
領航者林獻堂

作　　　者　廖振富
照片提供　明台高中・廖振富等

發　行　人　林佳龍
主　　　編　王志誠（路寒袖）
編輯委員　施純福・黃名亨・林敏棋・陳素秋・林承謨
執行編輯　陳兆華・范秀情・陳書伶・林耕震

出版單位　臺中市政府文化局
地　　　址　臺中市西屯區臺灣大道三段 99 號惠中樓 8 樓
網　　　址　http://www.culture.taichung.gov.tw
電　　　話　04-2228-9111
展　售　處　五南書局／ 04-2226-0330
　　　　　　臺中市中區中山路 6 號
　　　　　　國家書店松江門市／ 02-2518-0207
　　　　　　臺北市中山區松江路 209 號 1 樓

編輯製作　遠景出版事業有限公司
負　責　人　葉麗晴
主　　　編　李偉涵
編　　　輯　李偉涵
校　　　對　李偉涵・游文宓
美術設計　黃鈺菁

地　　　址　新北市板橋區松柏街 65 號 5 樓
電　　　話　02-2254-2899
傳　　　真　02-2254-2136
劃撥戶名　晴光文化出版有限公司
劃撥帳號　19929057
總　經　銷　紅螞蟻圖書有限公司
初　　　版　中華民國 105 年 12 月
定　　　價　新臺幣 300 元
G　P　N　1010502288
I　S　B　N　978-986-05-0440-8

國家圖書館出版品預行編目資料

追尋時代：領航者林獻堂 ／ 廖振富　著．— 初版．—
臺中市　：　臺中市政府文化局出版：晴光文化發行，
2016.12　面　；公分．—（臺中學；2）

ISBN 978-986-05-0440-8（平裝）

733.9/115　　　　　　　　　105020156